丁酉 黄帝故里

拜祖大典

一带一路星耀兰亭——书法精品邀请展作品集

主编 钟海涛 王晨

河南美术出版社
·郑州·

主办：政协郑州市委员会
中共郑州市委宣传部
郑州市文学艺术界联合会
承办：郑州市书法家协会
协办：郑州天外天文化传播有限公司

序

Preface

墨海丹青颂盛典

王　璋

以“同根同祖同源，和平和睦和谐”为主题的一年一度的黄帝故里拜祖大典，吸引着来自全球各地的华人前来寻根拜祖，也让世界的目光一次次地投射在古老而年轻的中原大地上。伴着国家“一带一路”战略的步伐，乘着把黄帝故里建成“全球华人拜祖圣地、中华民族精神家园”的春风，丁酉黄帝故里拜祖大典“一带一路星耀兰亭”书法精品邀请展成功举办并结集出版。主办方嘱我作序，作为一名中华传统文化的爱好者和黄帝故里拜祖大典的组织者，我不揣浅陋，谈点拙见。

总体上看，此次书法大展呈现出三个特点：一是参与书家广泛。参展的书法家来自“一带一路”沿线国家和法国、美国、加拿大、西班牙、澳大利亚等二十三个国家及港澳台地区，足见辐射面广，影响力大。二是参展作品优秀。参展的书法家中，四十三位书法家的作品曾荣获中国书法最高奖——“兰亭奖”；参展作品中，楷、草、隶、篆、行等书体异彩纷呈，秀雅隽永，大气磅礴，表现出了当代书法家深厚的传统文化基础和独特的现代审美意识。三是作品主题鲜明。内容以弘扬黄帝文化、振奋民族精神为主题，将海内外华夏子孙对根亲文化、中国文化、中原文化的理解和热爱淋漓彰显。

书法艺术不仅是中华优秀传统文化光辉的结晶，也是世界文化艺术宝库中一颗璀璨的明珠。世界上拥有书法艺术的民族屈指可数，其中唯有中国书法历史最悠久、传播最广泛、与民族文化关系最密切。书法作为一种艺术创作，是玄妙且艰深的。我们的汉字从图画、符号到创造、定型，由古文大篆到小篆，由篆而隶、楷、行、草，由于汉字的独特性、毛笔的独特性，构成了汉字在方块形态构架下的造型千变万化，从而形成了世界各民族文字中独一无二、自成门类的艺术，其影响具有广泛的世界性。

以习近平同志为核心的党中央历来高度重视传承发展中华优秀传统文化，历来高度重视繁荣发展社会主义文艺。黄帝故里拜祖大典是弘扬中华优秀传统文化的躬行实践，举办书法邀请展是歌颂伟大时代、引领社会风尚的具体行动，二者对于坚守和增强文化自信异曲而同工、殊途而同归、相得而益彰。艺术的产生与发展是其整个历史文化背景发展下的必然结果，自然环境、人文环境同书法家的表达是生发一致、渊源有序的。书法家的笔是他们心灵的延伸，笔锋或疾厉、或徐缓、或飞动、或顿挫，都受主观的驱使，成为他们情感、情绪的宣泄，集精、气、神于流转顿挫之中，黑白相间、疾徐吞吐，胸臆淋漓尽抒，其意境无限、美妙无比。可以说，书法虽然并不描写具体的形象，但它却抽象地描摹了生命的本质形态，真实地概括了生命的本质色彩。正所谓“言为心声，书为心画”，从古到今，书法家的作品之所以能够流传，是因为这些作品中，无不洋溢着鲜明的民族审美、充满着炽热的家国情怀。我想，这自觉的主体精神不正是源于他们身上所流淌的深厚传统文化底蕴吗？不正是黄帝文化的传承与发展吗？不正是中华民族坚强的文化自信吗？

“文化兴则城市兴，文艺强则城市强。”在黄帝文化、中原文化、中华民族文化的土壤上，我衷心地祝愿书法等中华民族的优秀传统艺术更加繁荣昌盛，希望郑州的文化艺术不断创新发展，更多有责任感、勇于担当、可圈可点的本土艺术家不断涌现，寄情翰墨，书写盛世，持续提升黄帝故里拜祖大典影响力，努力建设中原文化高地和享誉世界的历史文化名城，为郑州加快现代化进程、建设国家中心城市提供强有力的文化支撑。

是为序。

目录
Contents

名家名作

MING JIA MING ZUO

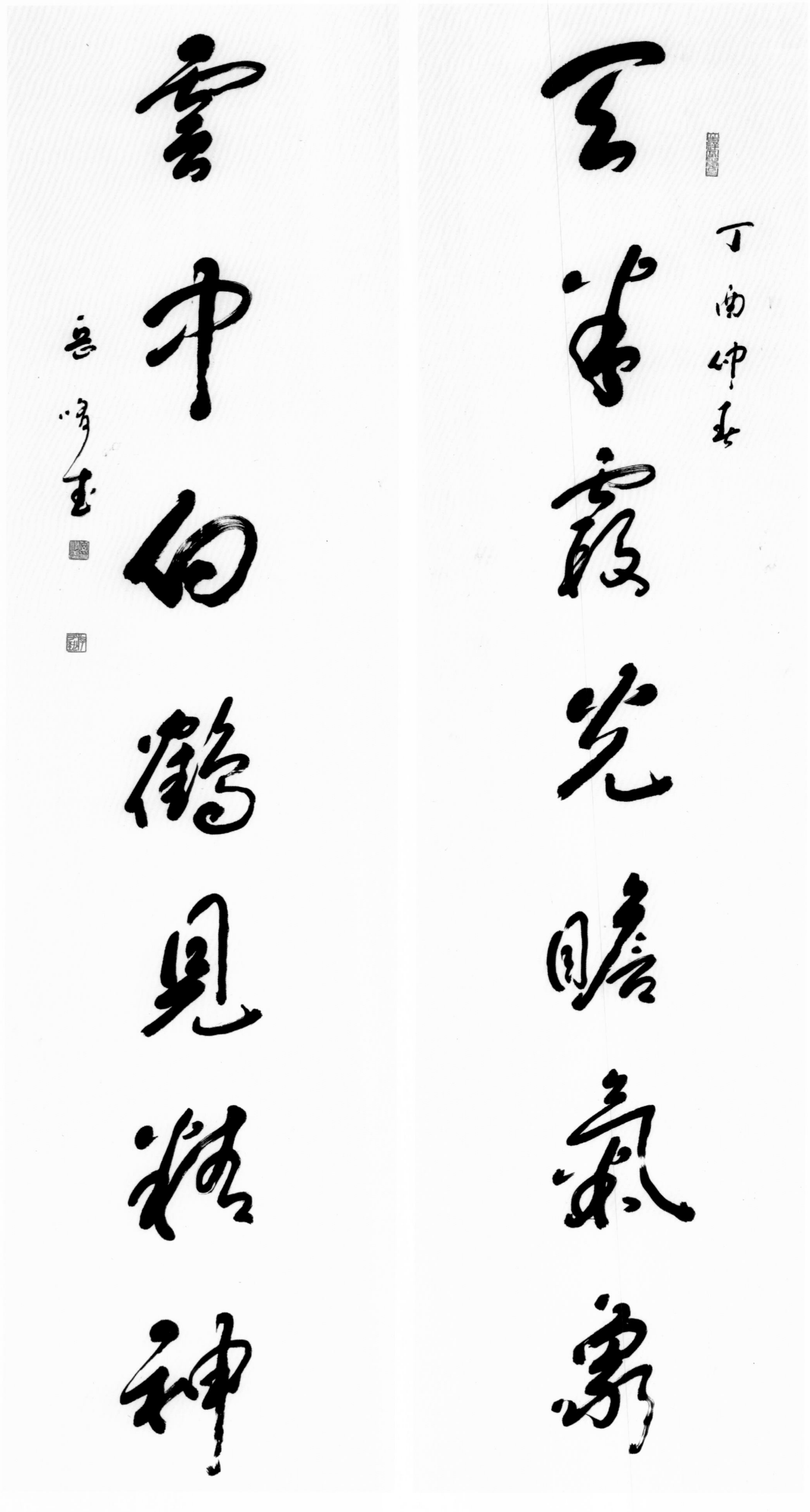

岳修武

李刚田

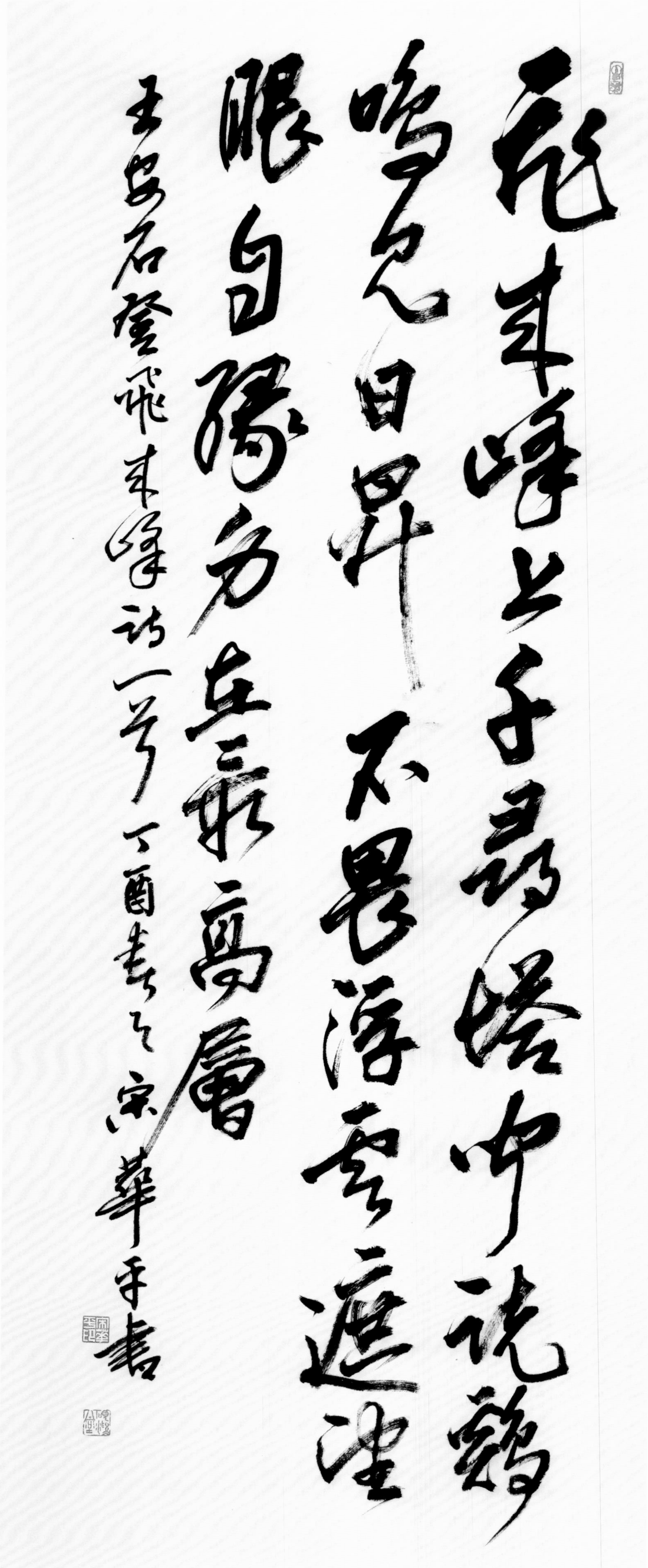
飞来峰上千寻塔
闻说鸡鸣见日升
不畏浮云遮望眼
自缘身在最高层
王安石登飞来峰诗一首
丁酉春月 宋华平书

宋华平

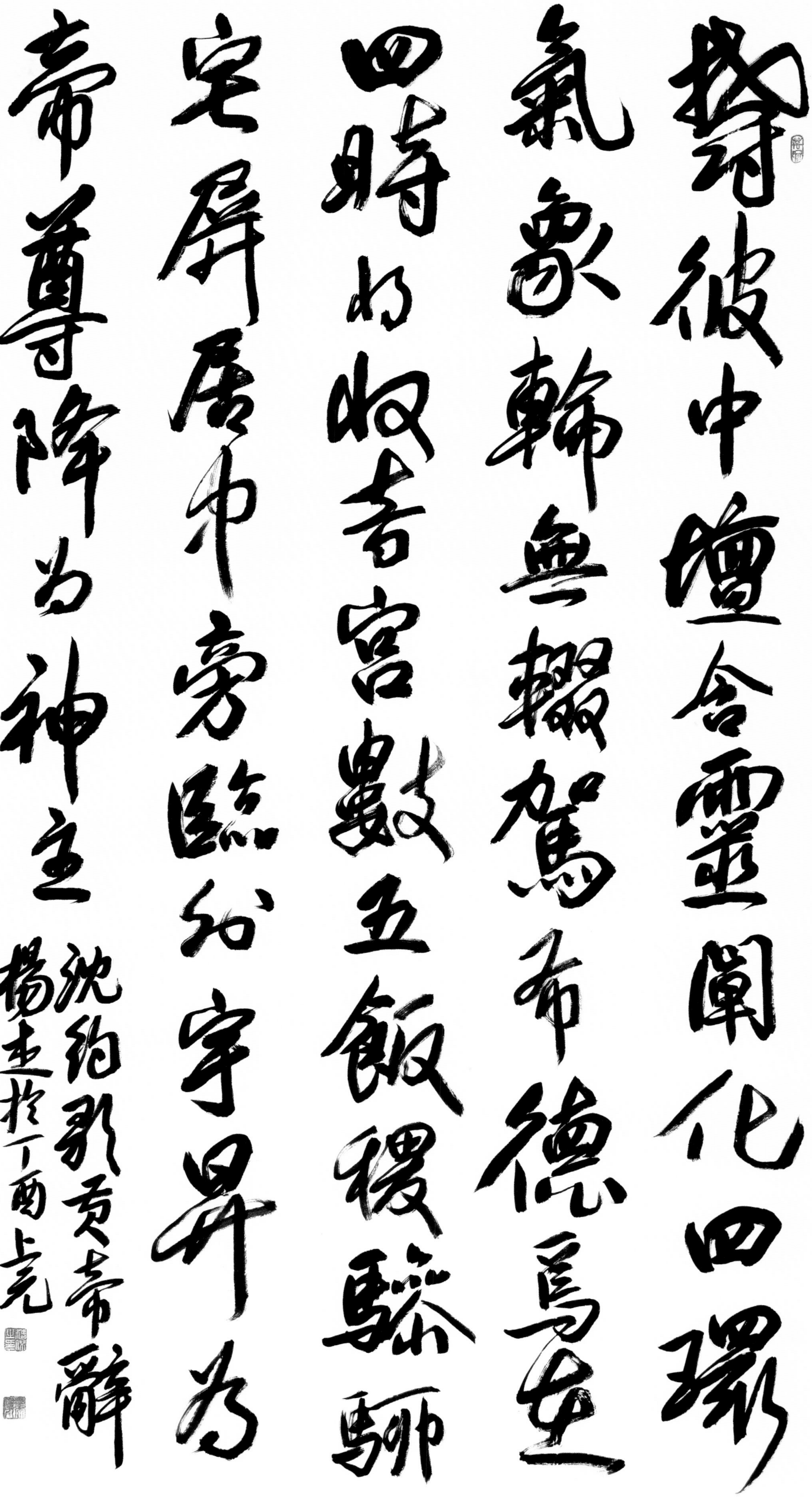
鬱彼中壇含靈闡化回環
氣象輪無輟駕布德焉在
四時兼收音宮數五飯稷驂騮
宅屏居中旁臨外宇昇為
帝尊降為神主
沈約歌黃帝辭
楊杰書於丁酉上元

杨杰

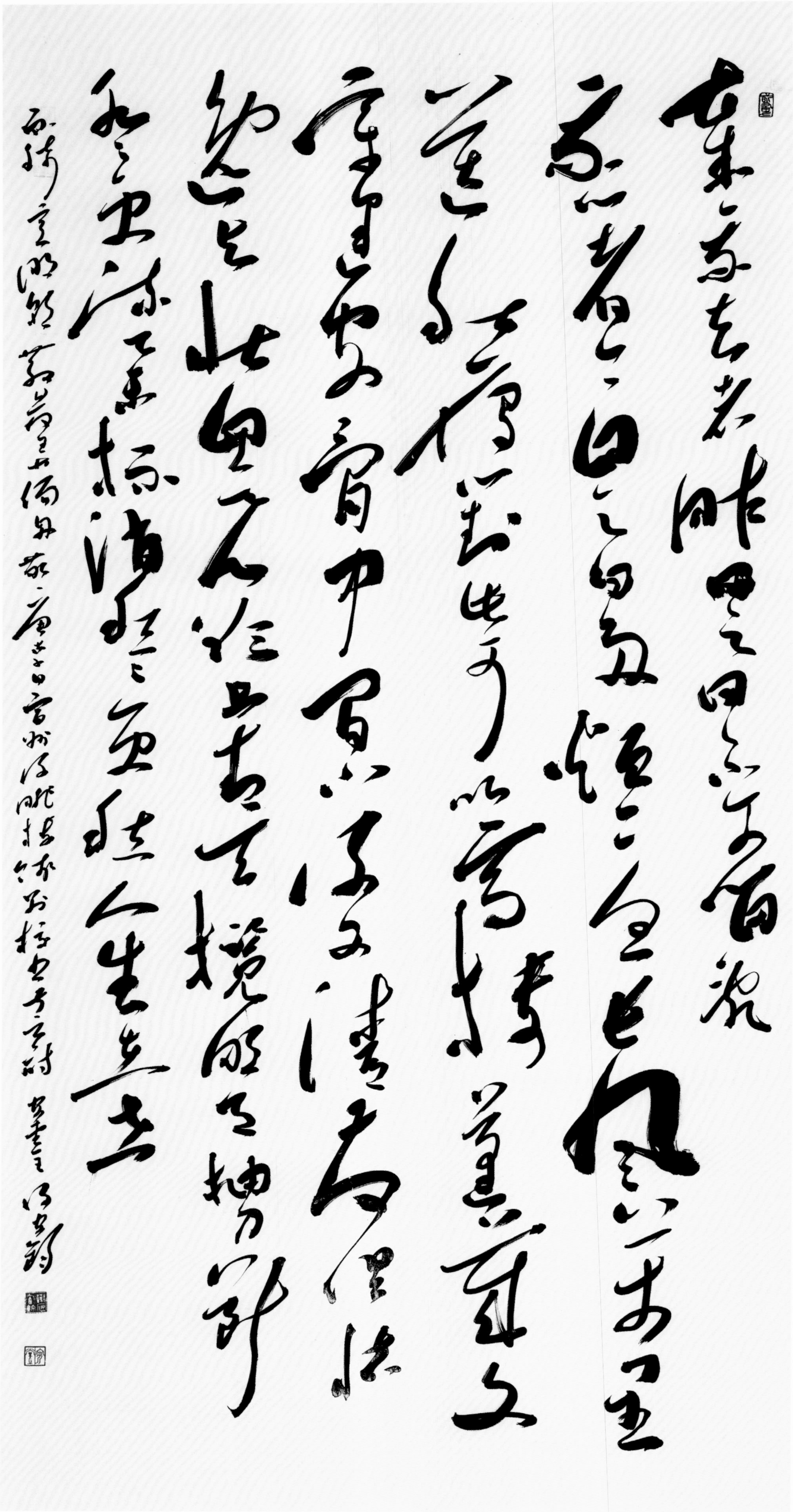

谢安钧

軒轅應無期功能總百神體煉百靈
妙氣含雲露津摻石曾城岫鑄鼎荊
山濱豁焉天扉辟飄然跨騰鱗儀轡
灑長風褰裳躡紫宸

晋曹毗黄帝贊一首
丁酉正月大雪擁门雲平抄於鈍齋

云平

王荣生

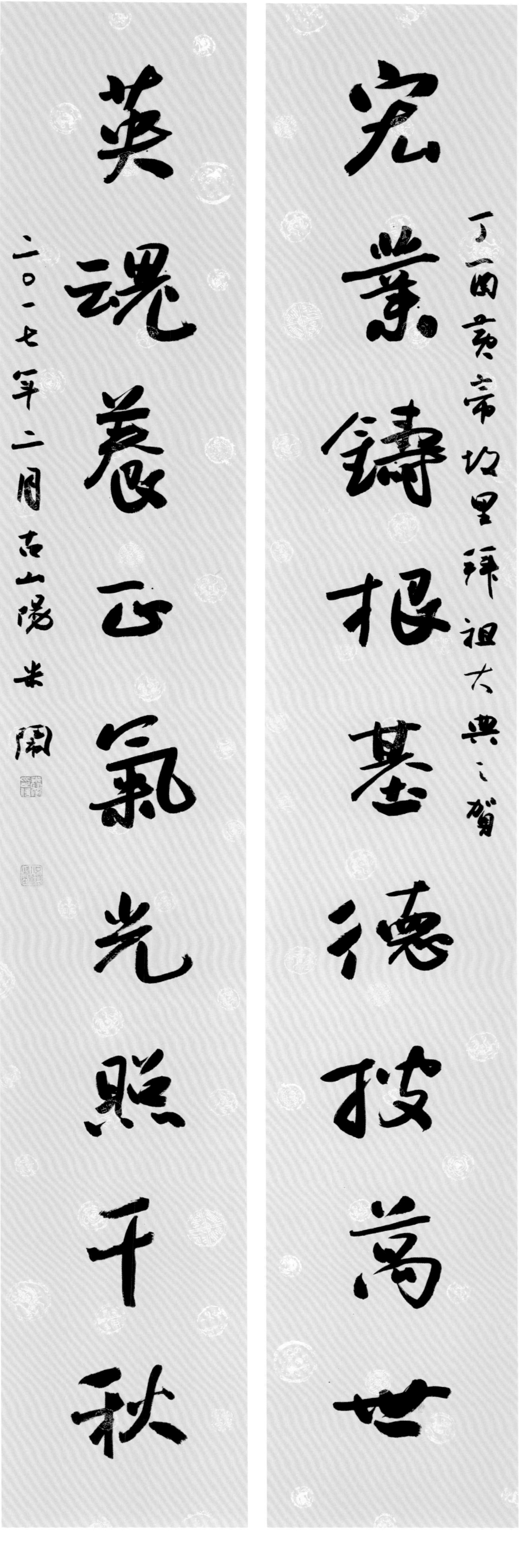
宏業鑄根基德被萬世
丁酉黄帝故里拜祖大典之贺
英魂養正氣光照千秋
二〇一七年二月古山阳米闹

米闹

谢国启

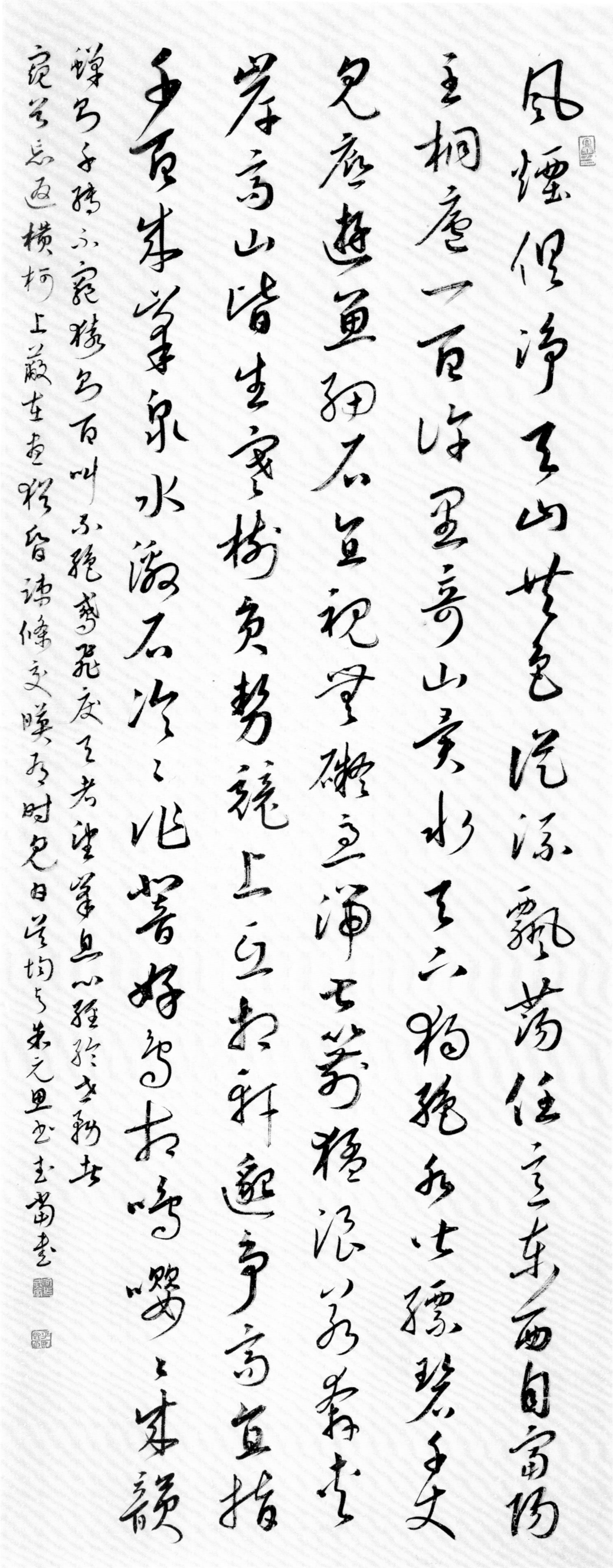
风烟俱净天山共色从流飘荡任意东西自富阳
至桐庐一百许里奇山异水天下独绝水皆缥碧千丈
见底游鱼细石直视无碍急湍甚箭猛浪若奔
夹岸高山皆生寒树负势竞上互相轩邈争高直指
千百成峰泉水激石泠泠作响好鸟相鸣嘤嘤成韵
蝉则千转不穷猿则百叫无绝鸢飞戾天者望峰息心经纶世务者
窥谷忘反横柯上蔽在昼犹昏疏条交映有时见日吴均与朱元思书武当书

司马武当

钟海涛

聽風聽雨過清明愁草瘞花銘樓前綠暗
分攜路一絲柳一寸柔情料峭春寒中酒
交加曉夢啼鶯西園日日掃林亭依舊賞新
晴黃蜂頻撲秋千索有當時纖手香凝惆
悵雙鴛不到幽階
一夜苔生 吳文英風入松春閨
歲次丁酉初春月李國昌書於鄭州

李国昌

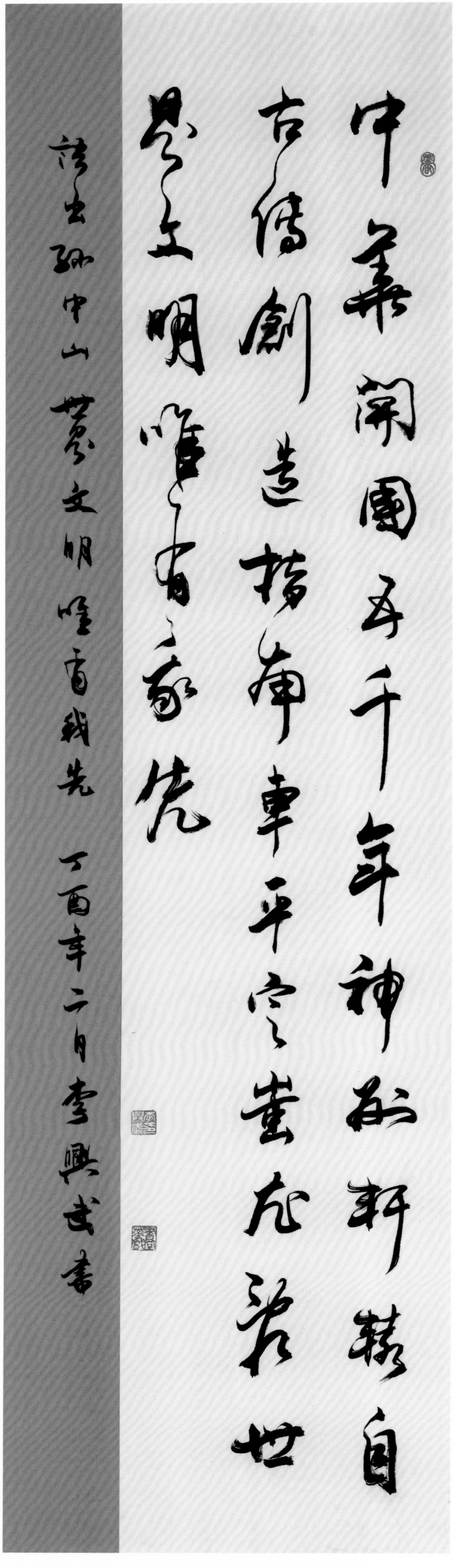

李兴武

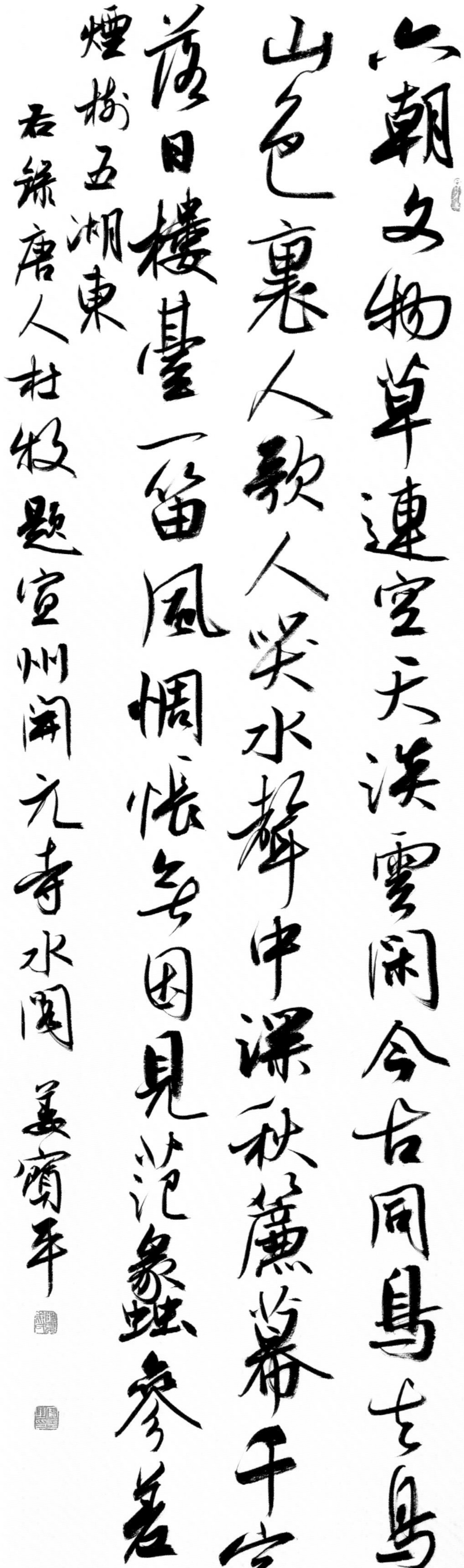
六朝文物草連空天淡雲閑今古同鳥去鳥來
山色裏人歌人哭水聲中深秋簾幕千家雨
落日樓臺一笛風惆悵無因見范蠡參差
煙樹五湖東
右錄唐人杜牧題宣州開元寺水閣 姜寶平

姜宝平

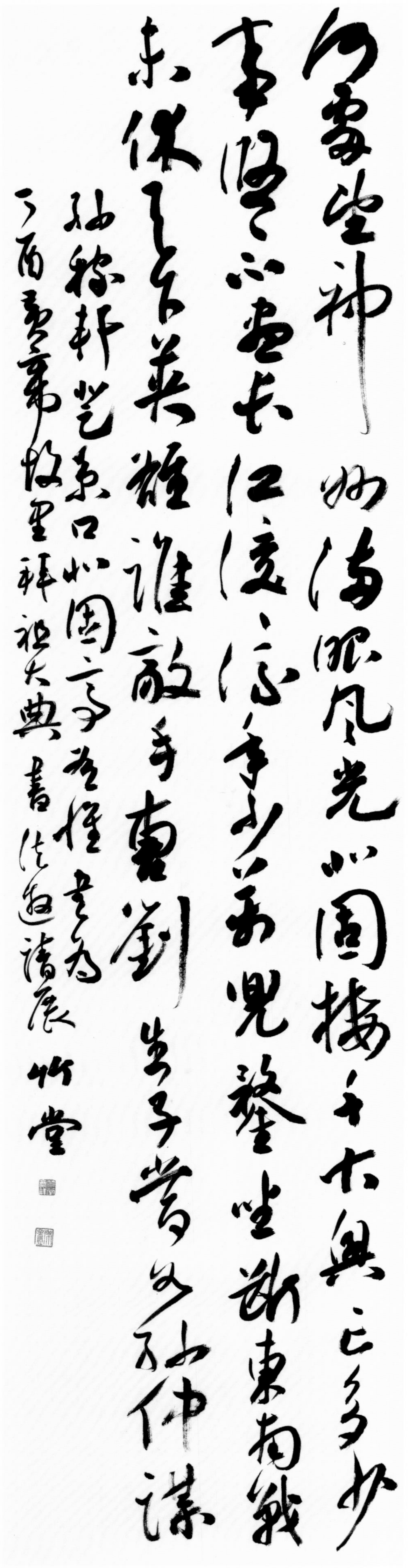

孟会祥

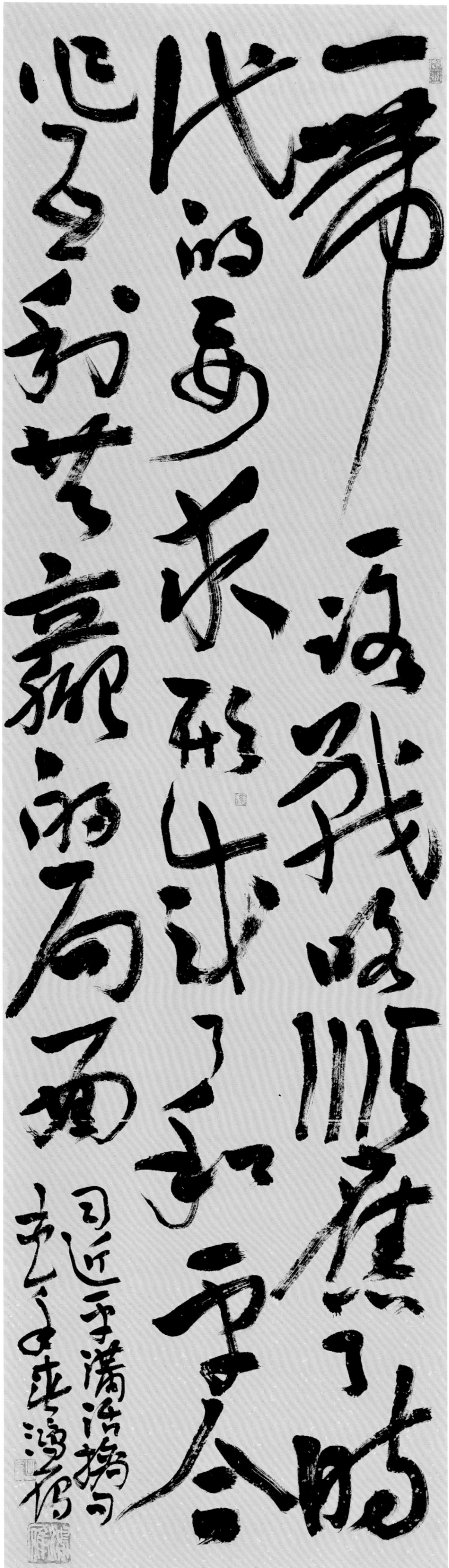

毛鸿雁

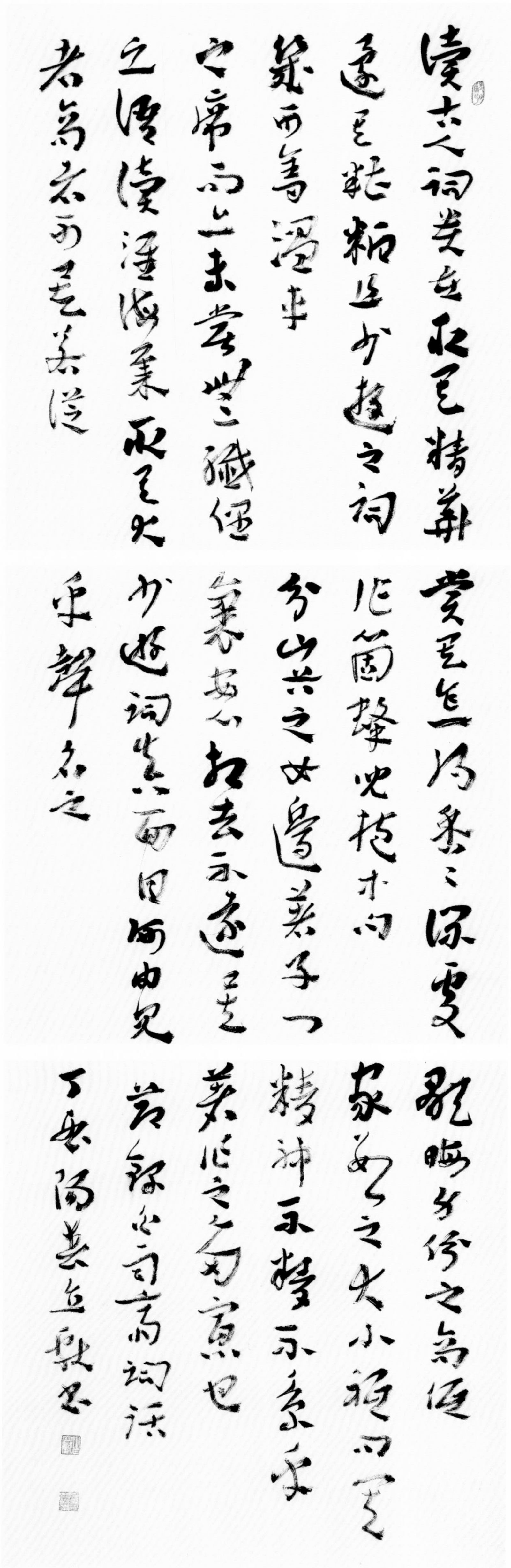

白立献

青岛·张伟

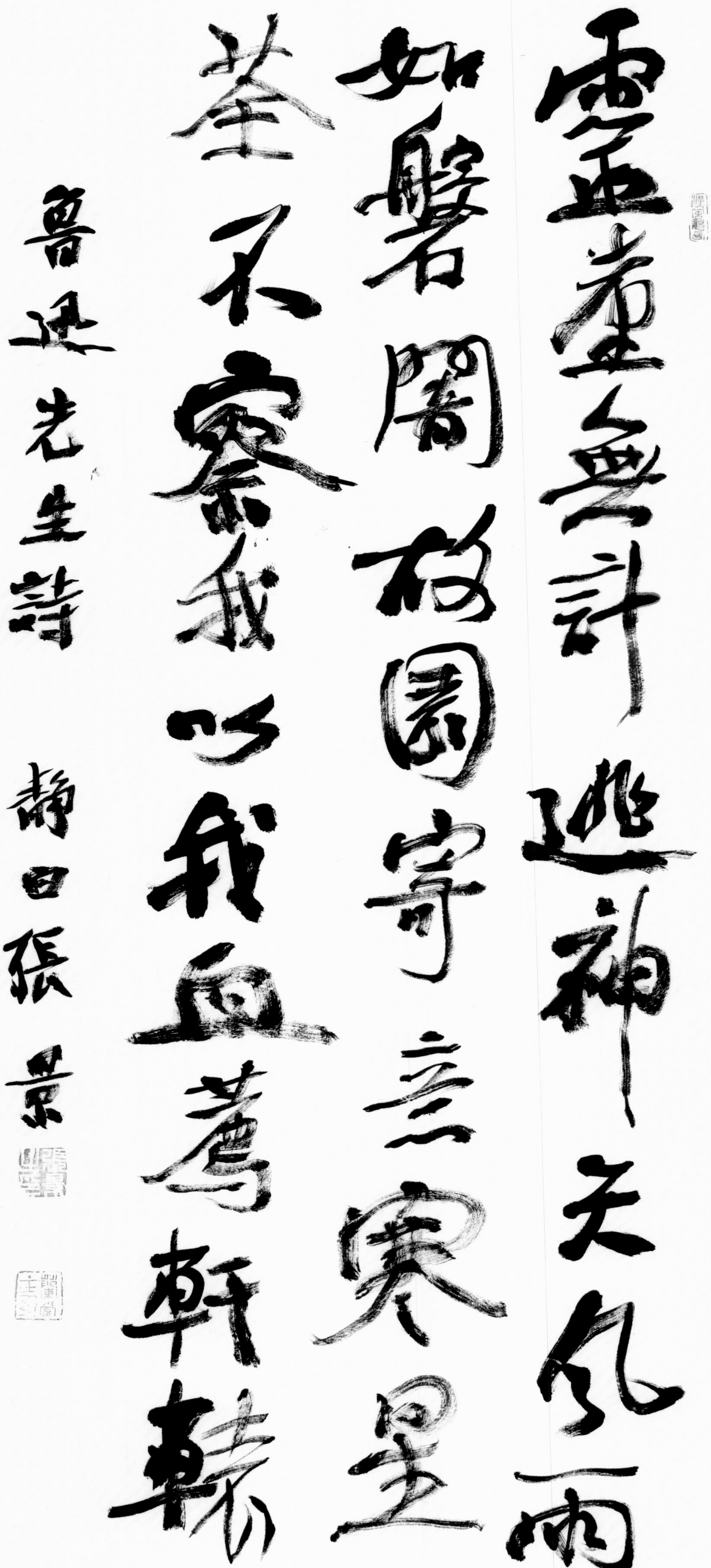

青岛·张景

青岛·张法舜

青岛·刘升语

青岛·高 波

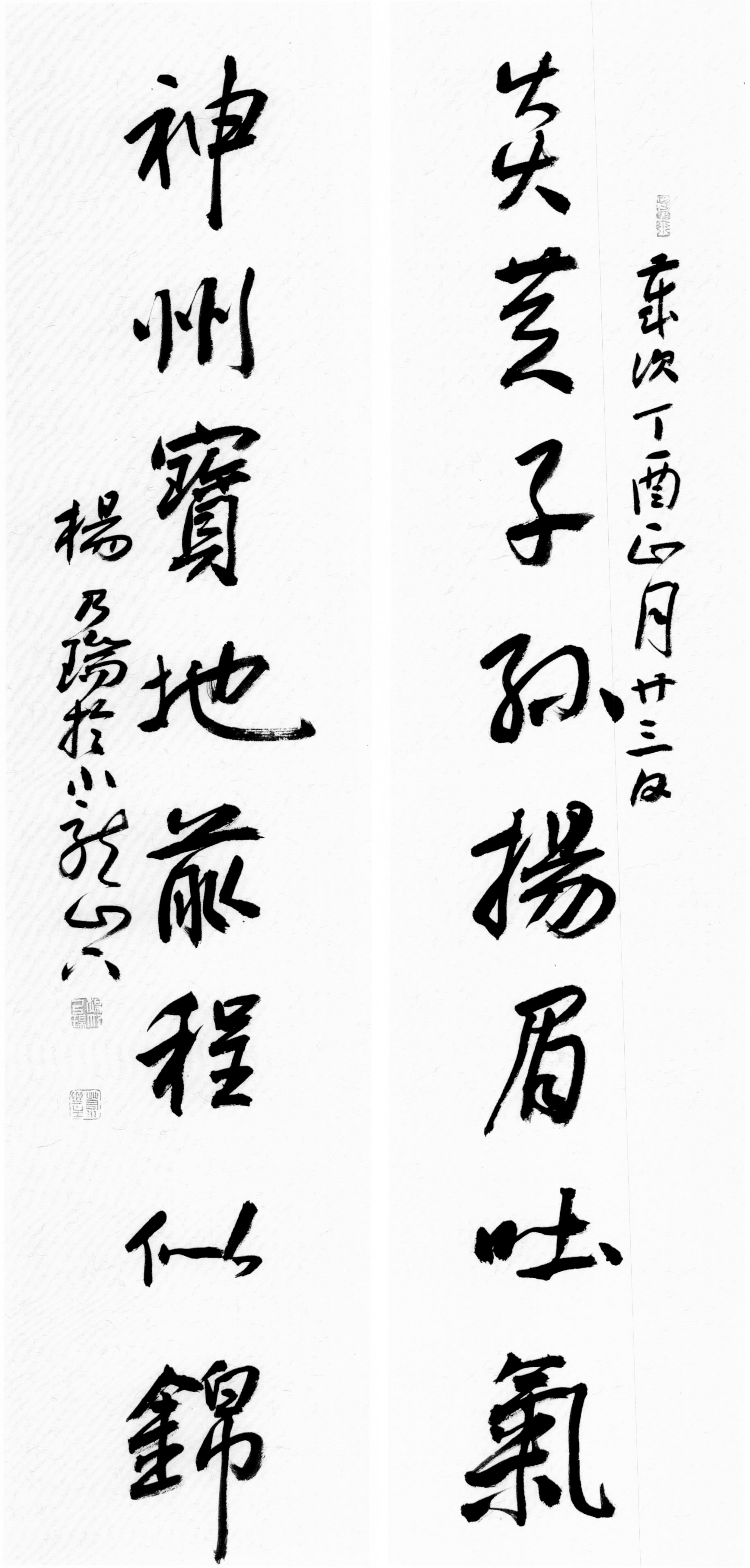

青岛·杨乃瑞

余闲居寡欢，兼比夜已长，偶有名酒，无夕不饮。顾影独尽，忽焉复醉。既醉之后，辄题数句自娱。纸墨遂多，辞无诠次。聊命故人书之，以为欢笑尔。

衰荣无定在，彼此更共之。邵生瓜田中，宁似东陵时。寒暑有代谢，人道每如兹。达人解其会，逝将不复疑。忽与一觞酒，日夕欢相持。

积善云有报，夷叔在西山。善恶苟不应，何事立空言。九十行带索，饥寒况当年。不赖固穷节，百世当谁传。

道丧向千载，人人惜其情。有酒不肯饮，但顾世间名。所以贵我身，岂不在一生。一生复能几，倏如流电惊。鼎鼎百年内，持此欲何成。

秋菊有佳色，裛露掇其英。泛此忘忧物，远我遗世情。一觞虽独进，杯尽壶自倾。日入群动息，归鸟趋林鸣。啸傲东轩下，聊复得此生。

行止千万端，谁知非与是。是非苟相形，雷同共誉毁。三季多此事，达士似不尔。咄咄俗中愚，且当从黄绮。

贫居乏人工，灌木荒余宅。班班有翔鸟，寂寂无行迹。宇宙一何悠，人生少至百。岁月相催逼，鬓边早已白。

若不委穷达，素抱深可惜。

禾录陶元亮诗数首。壬辰冬月上浣于青岛寓人 孙占忠

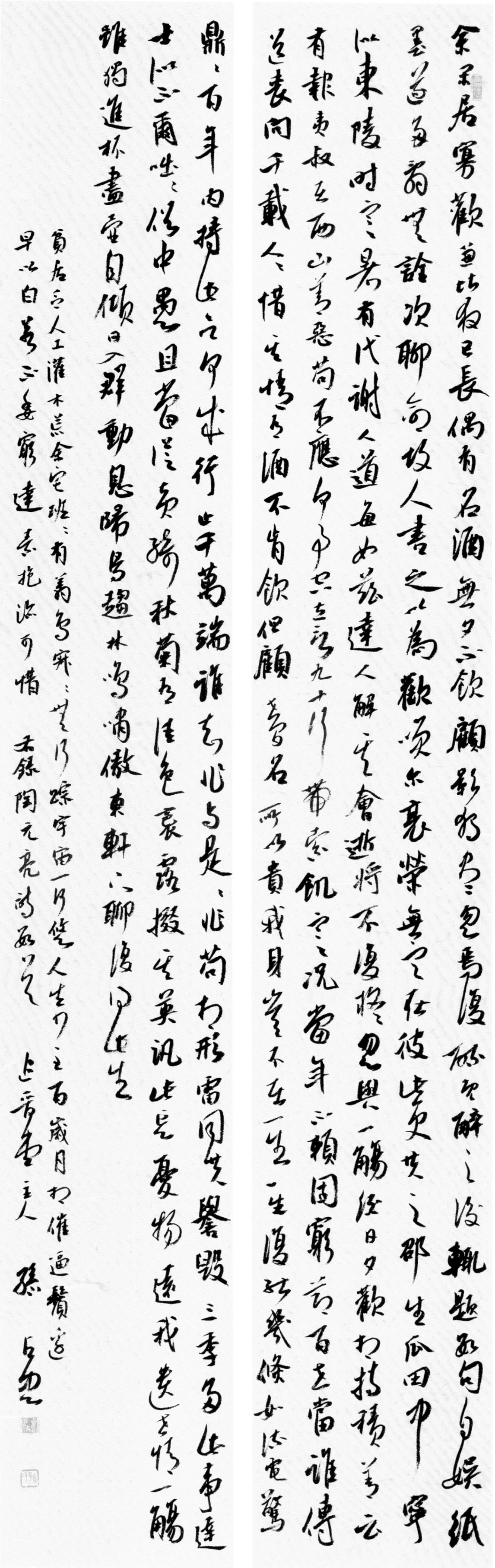

青岛·孙占忠

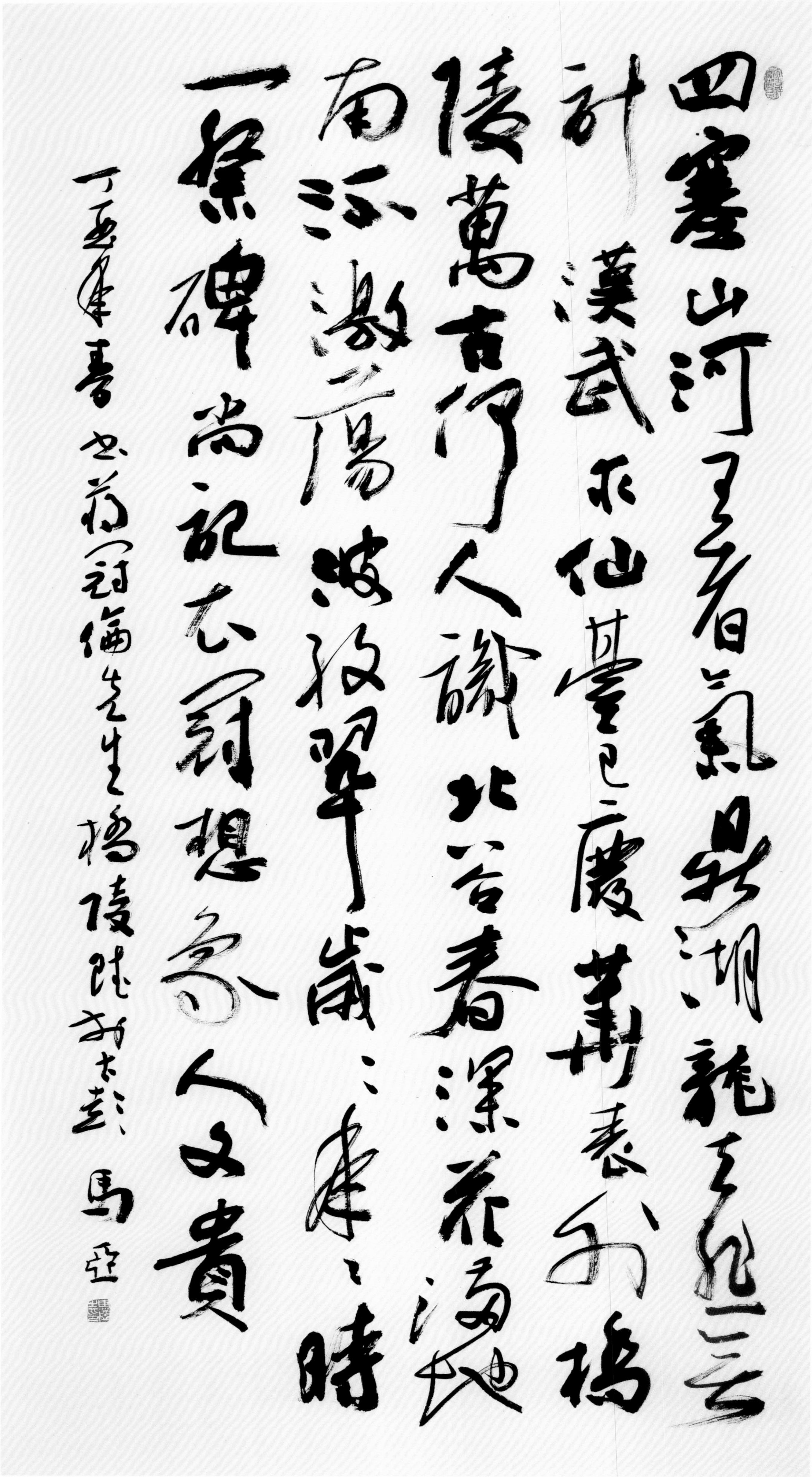

徐州·马亚

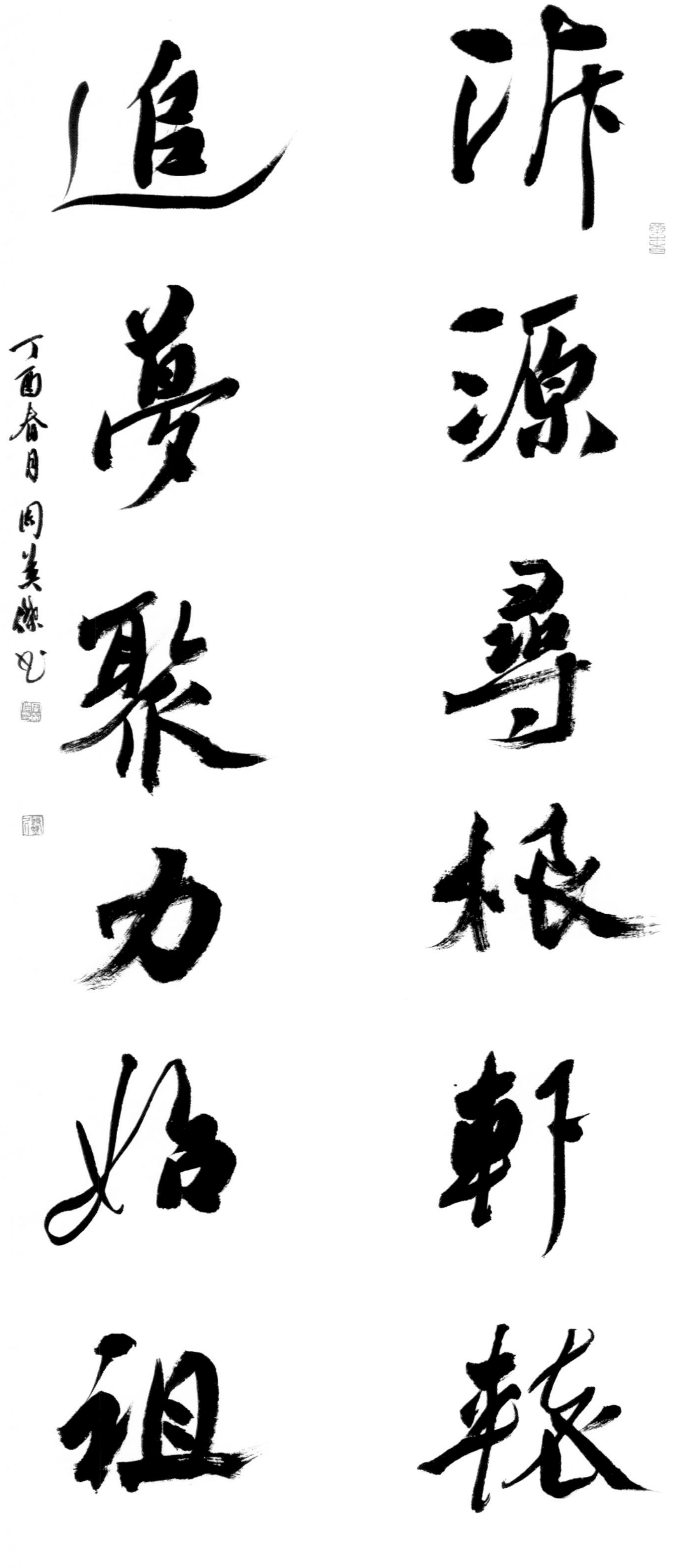
溯源寻根轩辕脉
追梦聚力始祖魂
丁酉春月 周英杰书

徐州·周英杰

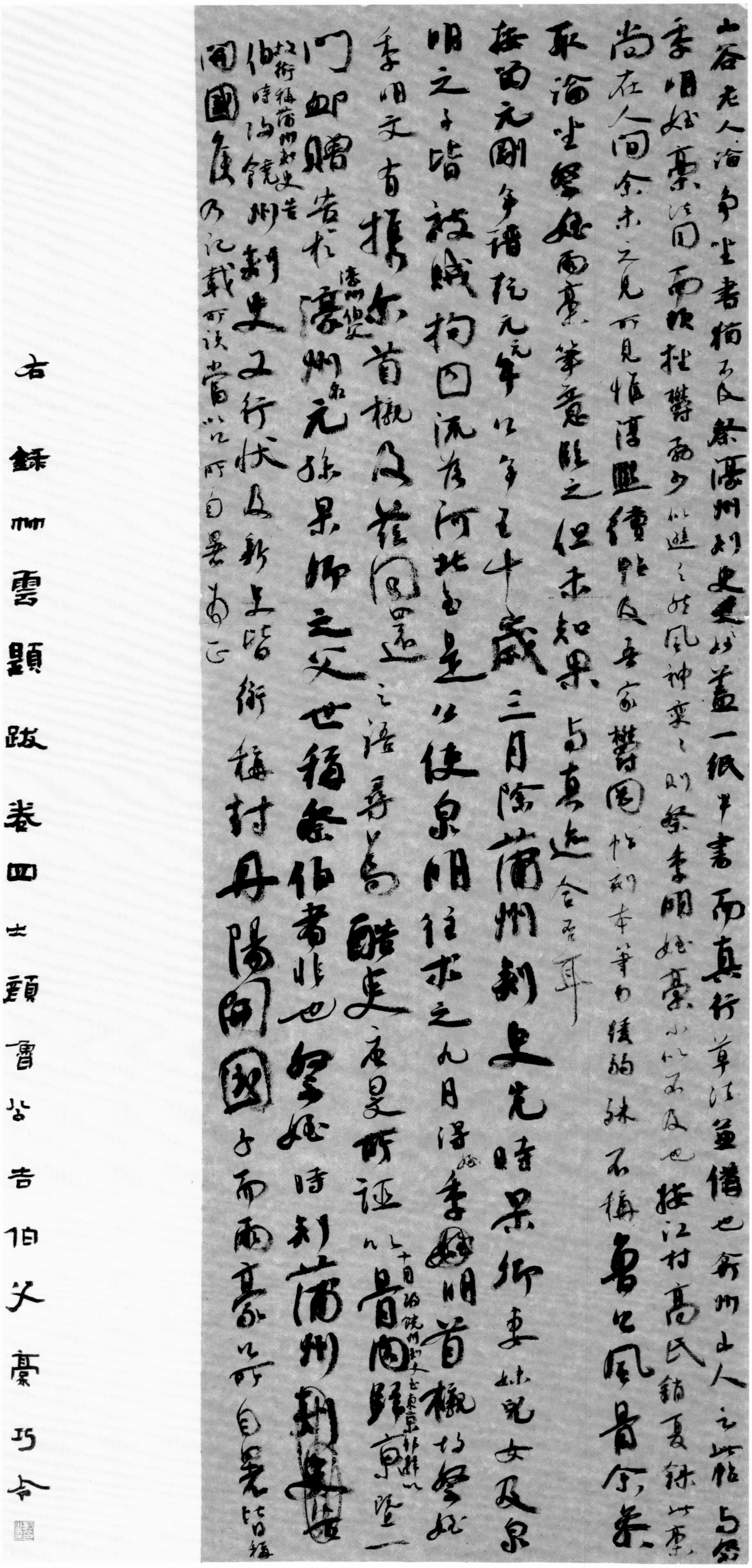

徐州·陈巧令

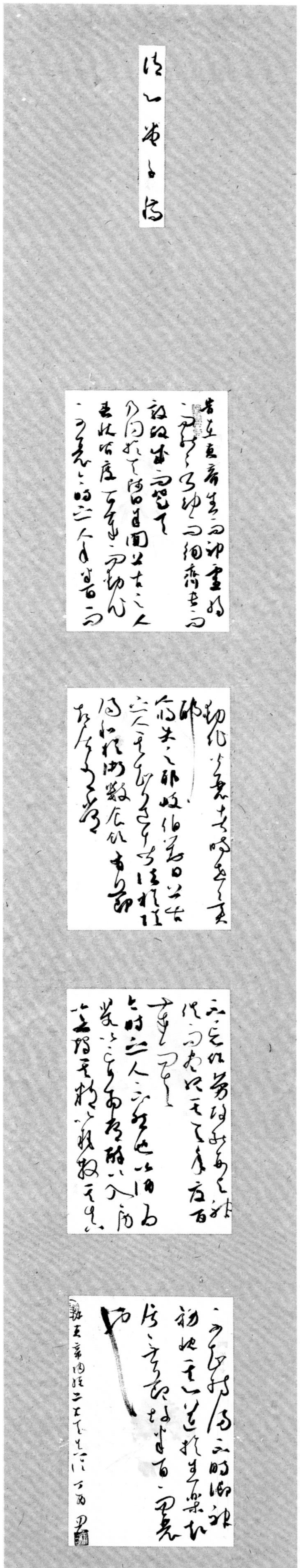

徐州·朱安刚

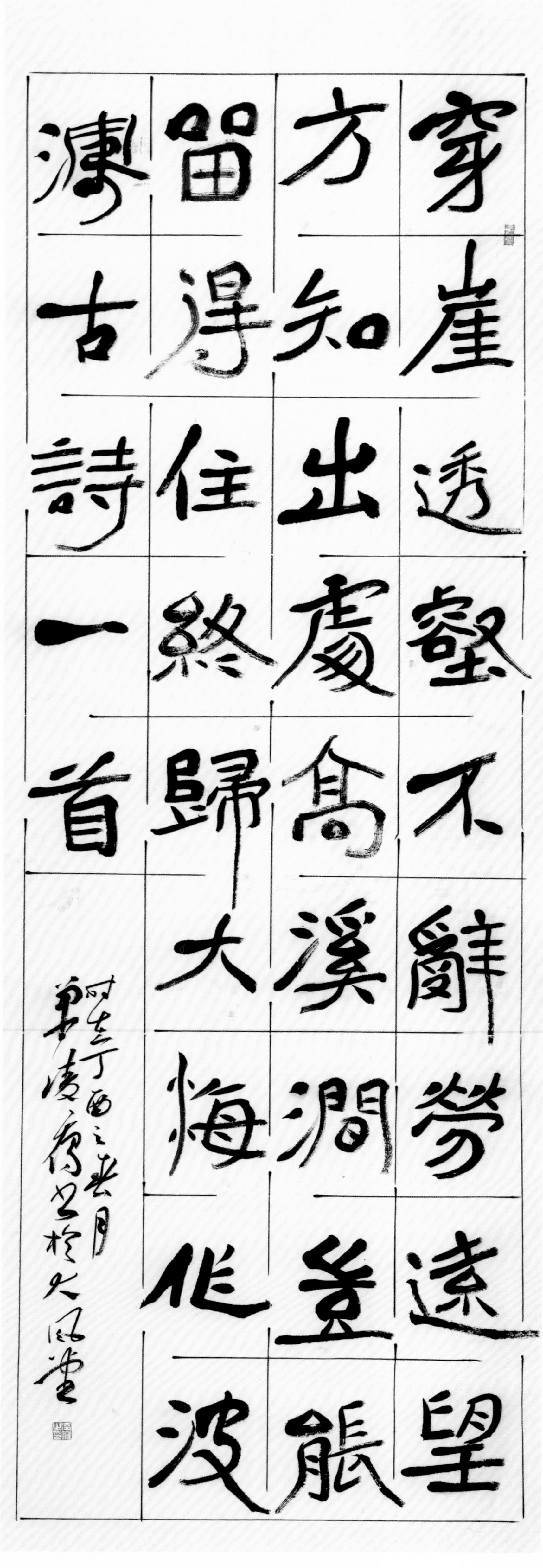
穿崖透壑不辭勞
遠望方知出處高
溪澗豈能留得住
終歸大海作波濤
古詩一首

徐州·单凌雁

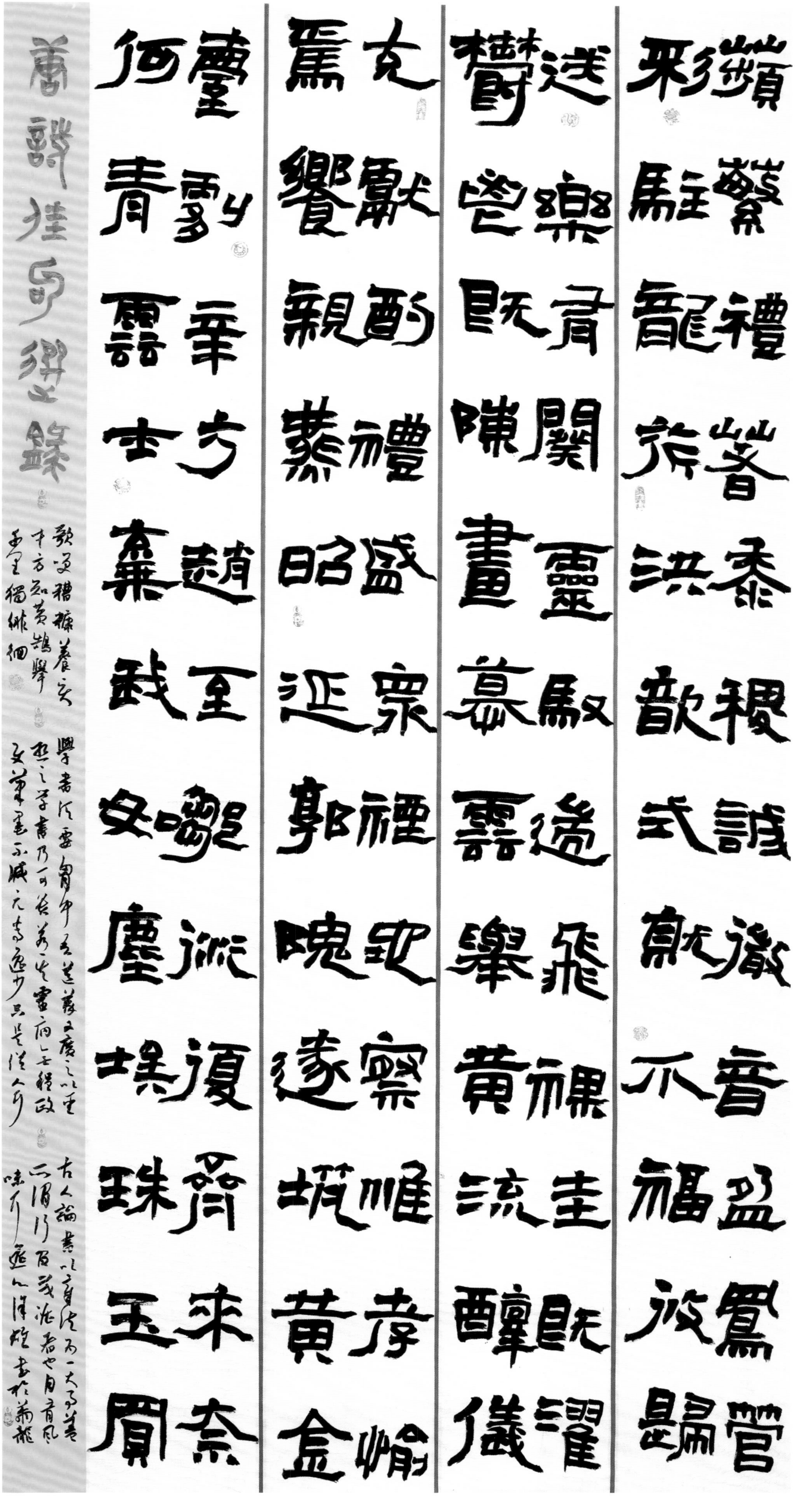

徐州·徐雄关

连云港·杨嘉伟

连云港·李传伦

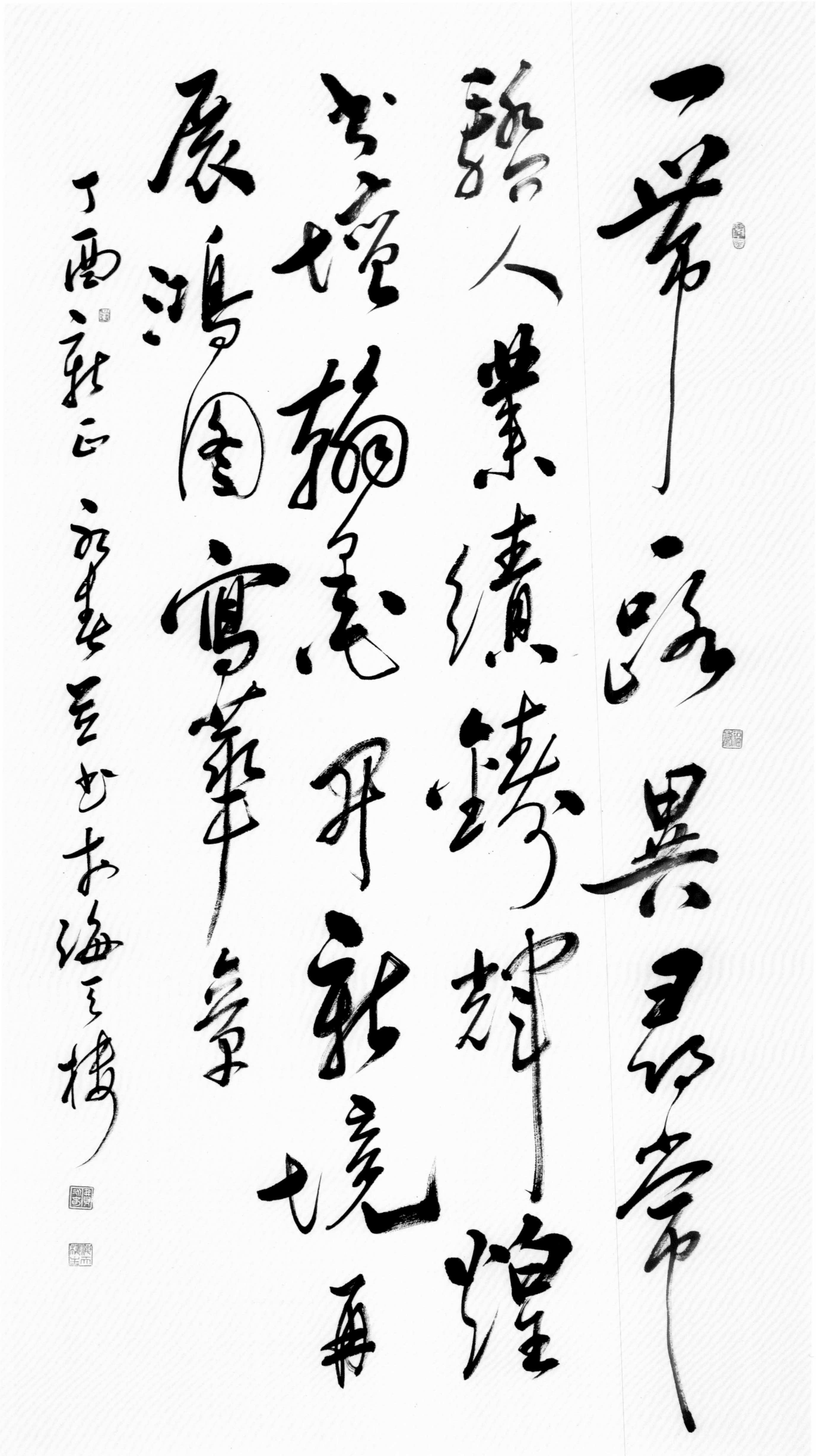

连云港·费永春

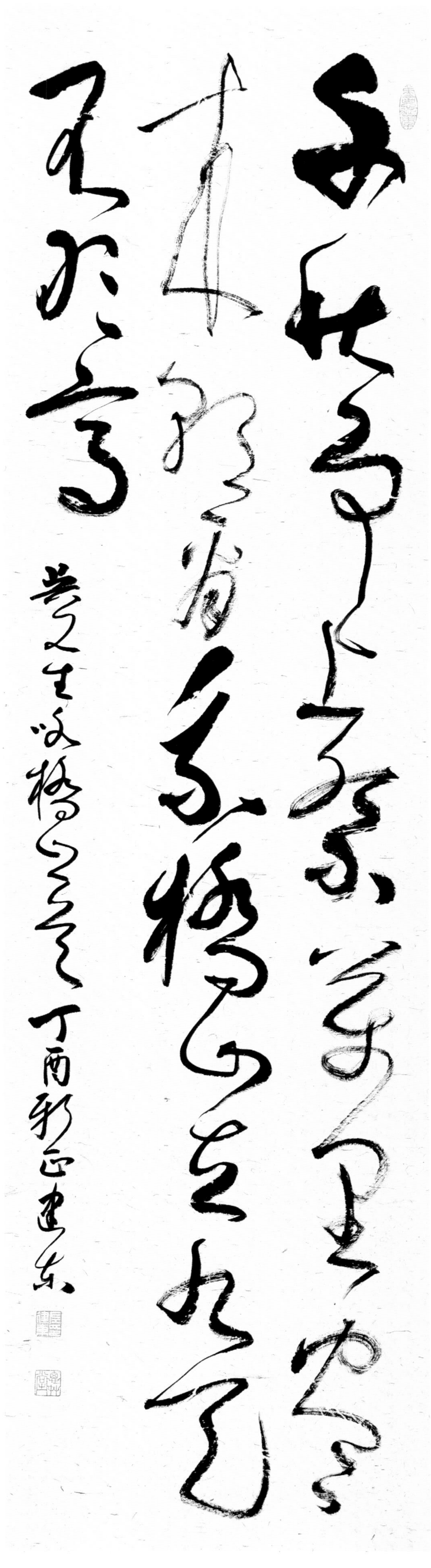

连云港·左建东

连云港·张斌

吉林·景喜猷

吉林·刘成

吉林·景喜猷

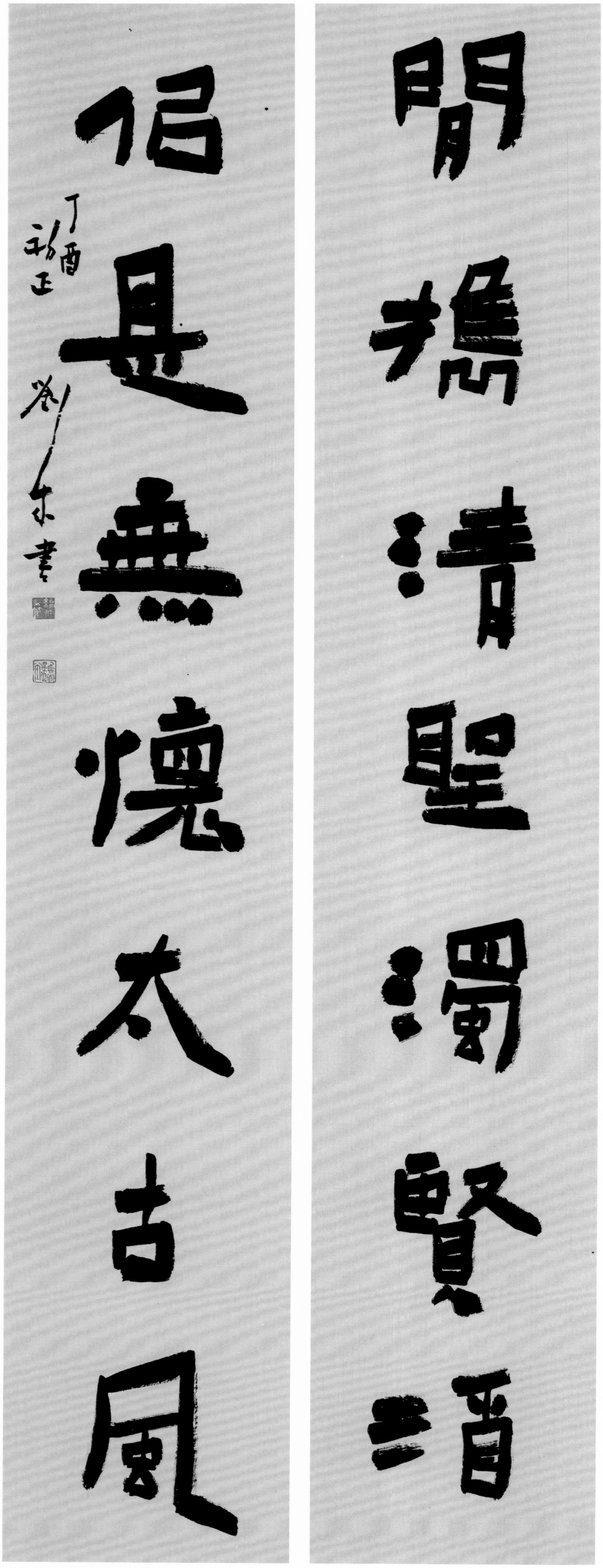
閒攜清聖濁賢酒
但是無懷太古風

吉林·刘成

吉林·宋旭安

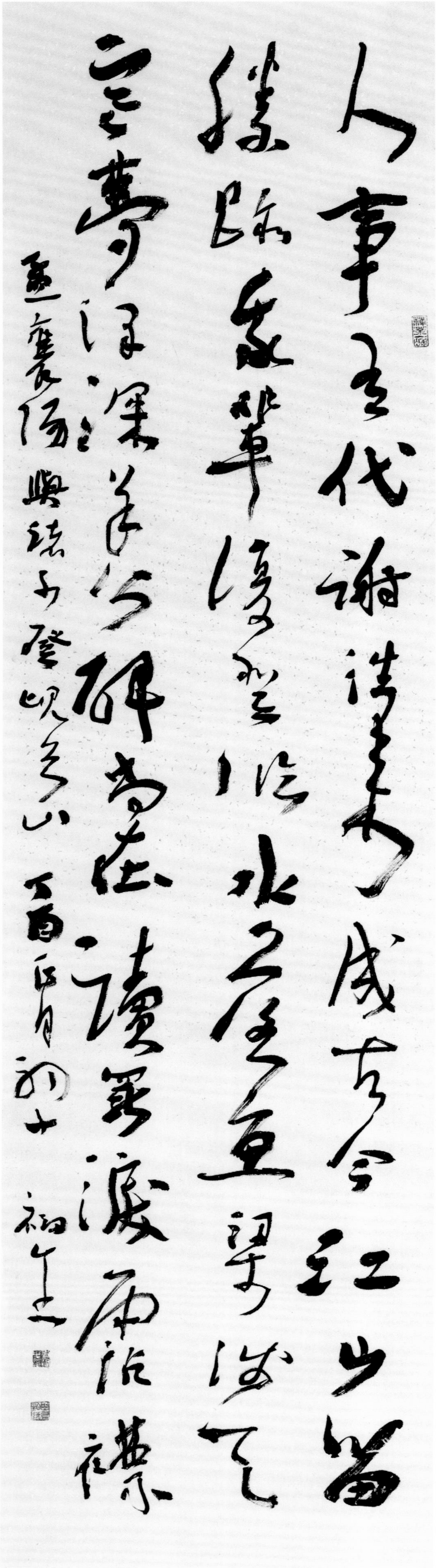

吉林·刘福生

开封·程崇正

开封·杨恢

开封·牛 耕

軒轅盛德豈是詩文可述
張文靜賦 應黄帝故里拜祖大典
一帶一路星耀蘭亭書法精品展
華夏親情唯因血脈傳承
歲次丁酉年雨水
大梁許勝建於汴西馬家河畔小舍南窗下

开封·许胜建

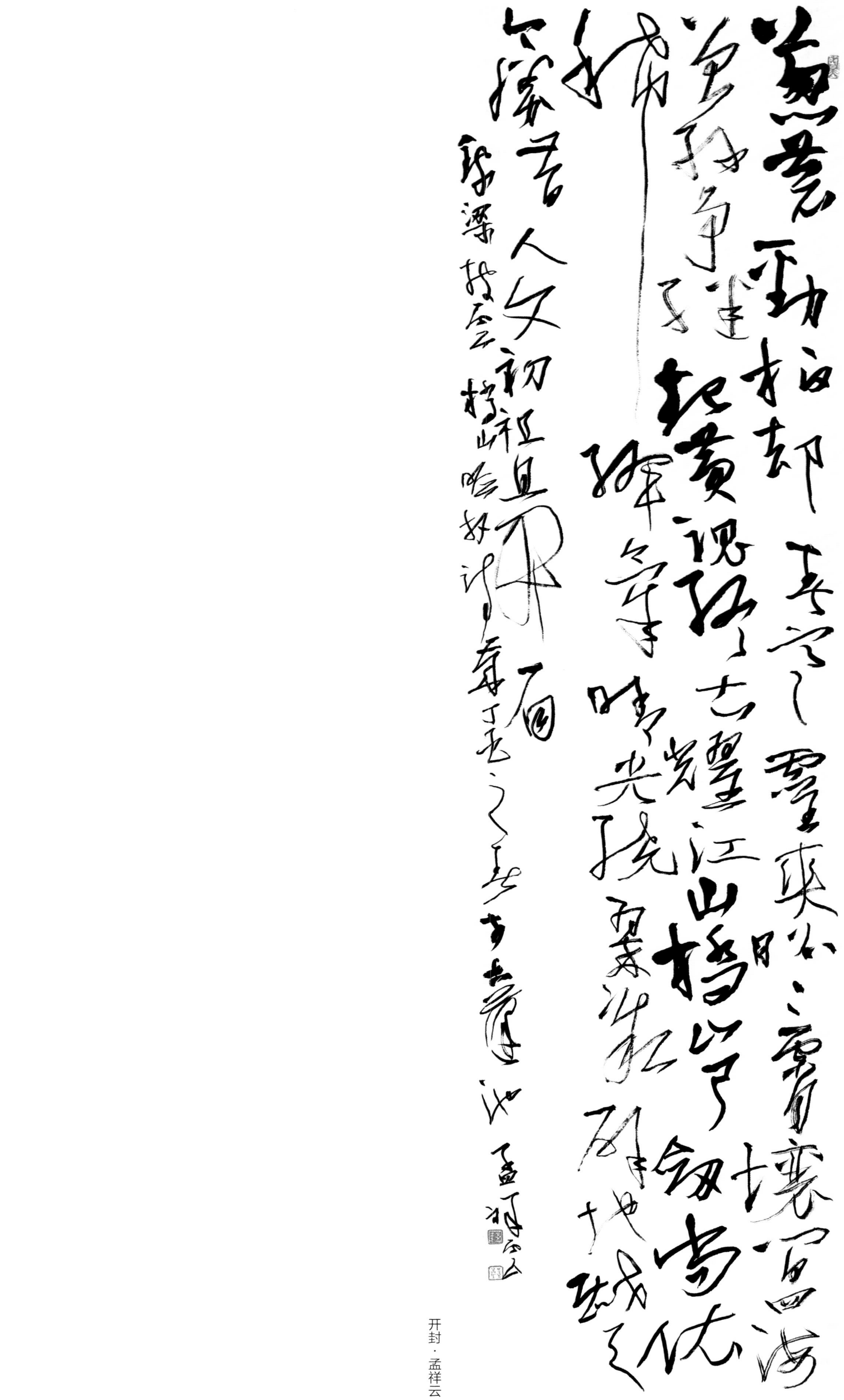

开封·孟祥云

洛阳·王 鸣

洛阳·李平

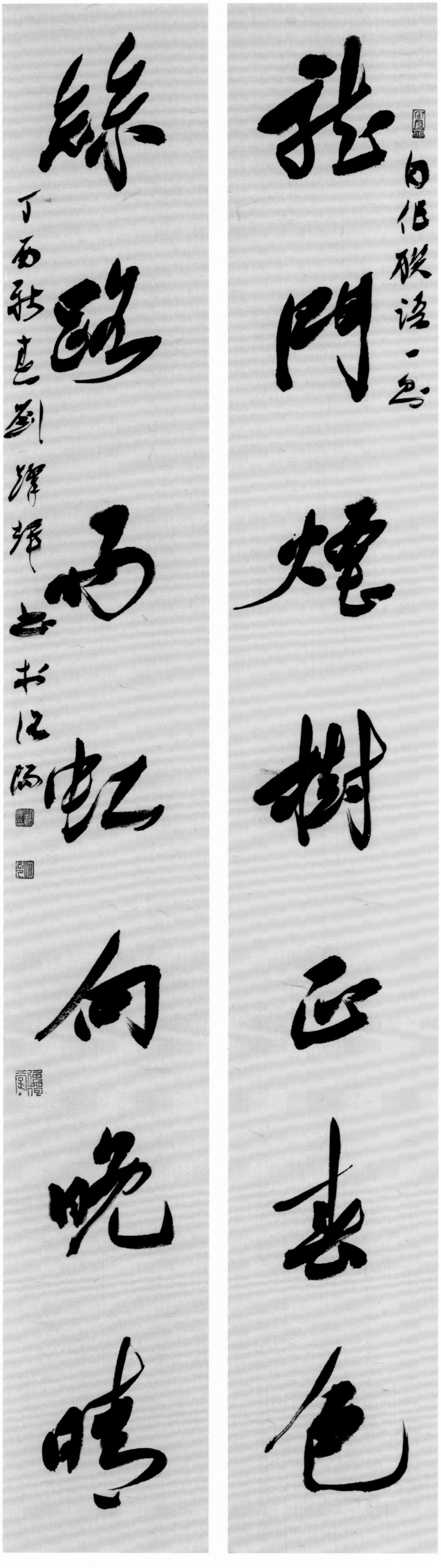

洛阳·刘灿辉

洛阳·刘伊明

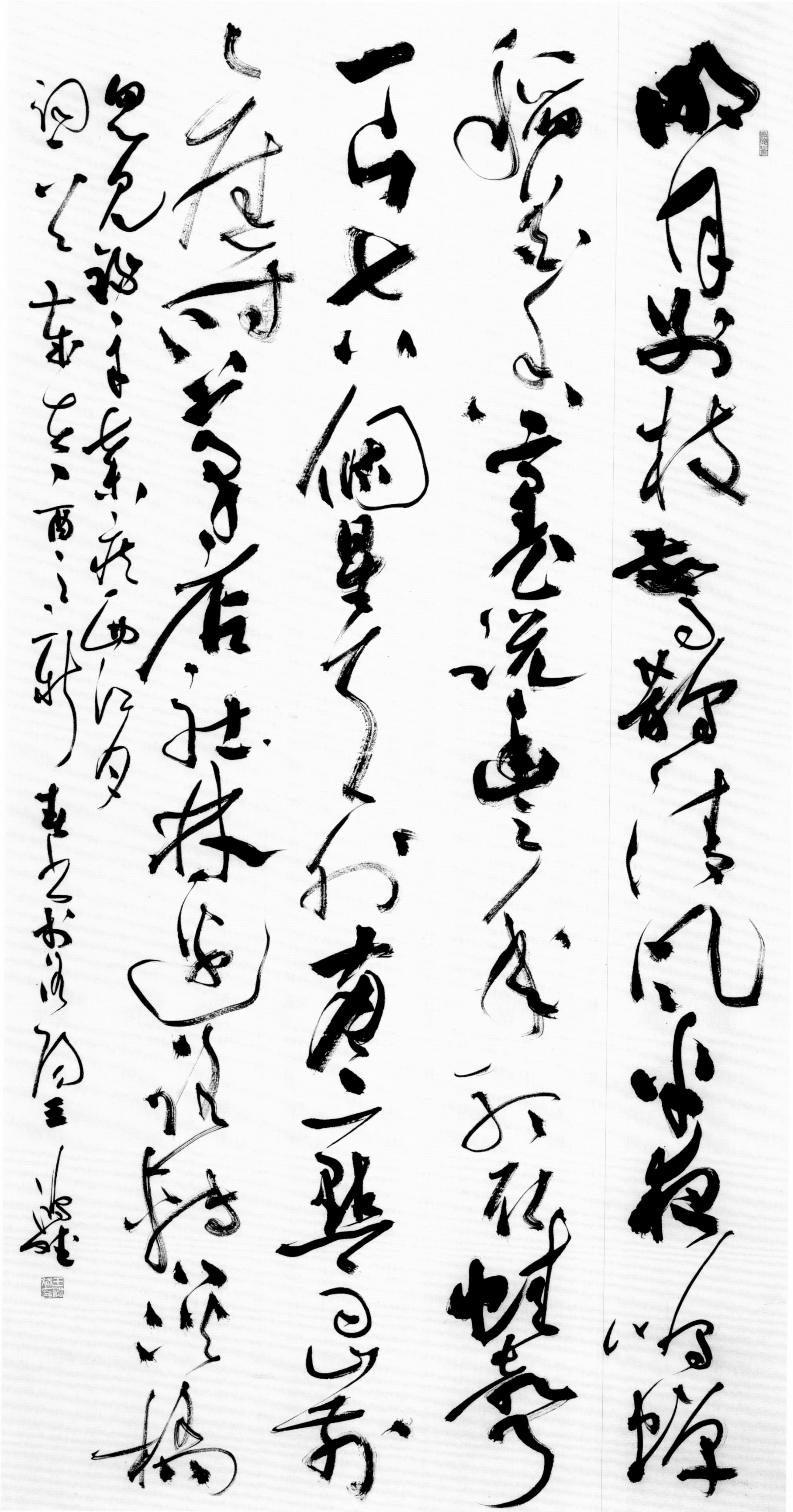

洛阳・王鸿斌

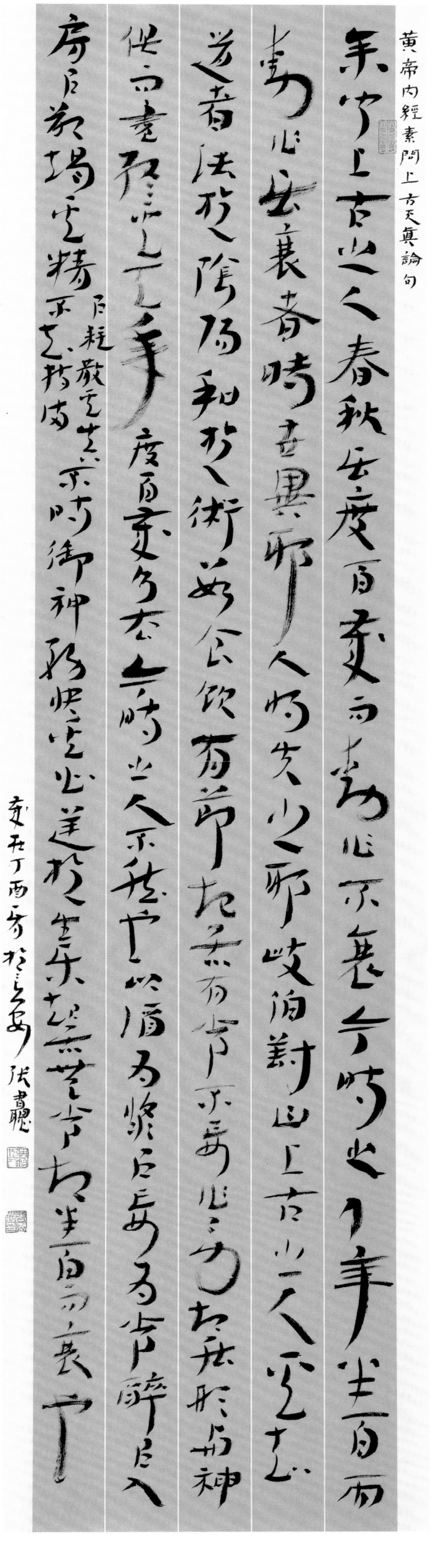
黄帝内经素问上古天真论句
余闻上古之人春秋皆度百岁而动作不衰今时之人年半百而
动作皆衰者时世异耶人将失之耶岐伯对曰上古之人其知
道者法于阴阳和于术数食饮有节起居有常不妄作劳故能形与神
俱而尽终其天年度百岁乃去今时之人不然也以酒为浆以妄为常醉以入
房以欲竭其精以耗散其真不知持满不时御神务快其心逆于生乐起居无节故半百而衰也
张书聪

西安·张书聪

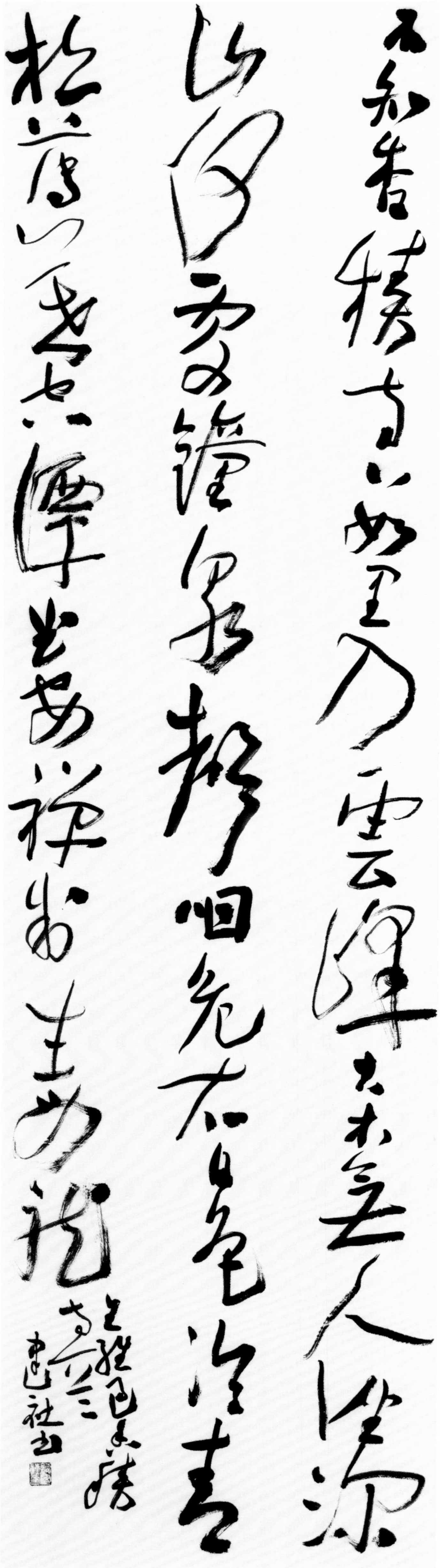

西安·刘建社

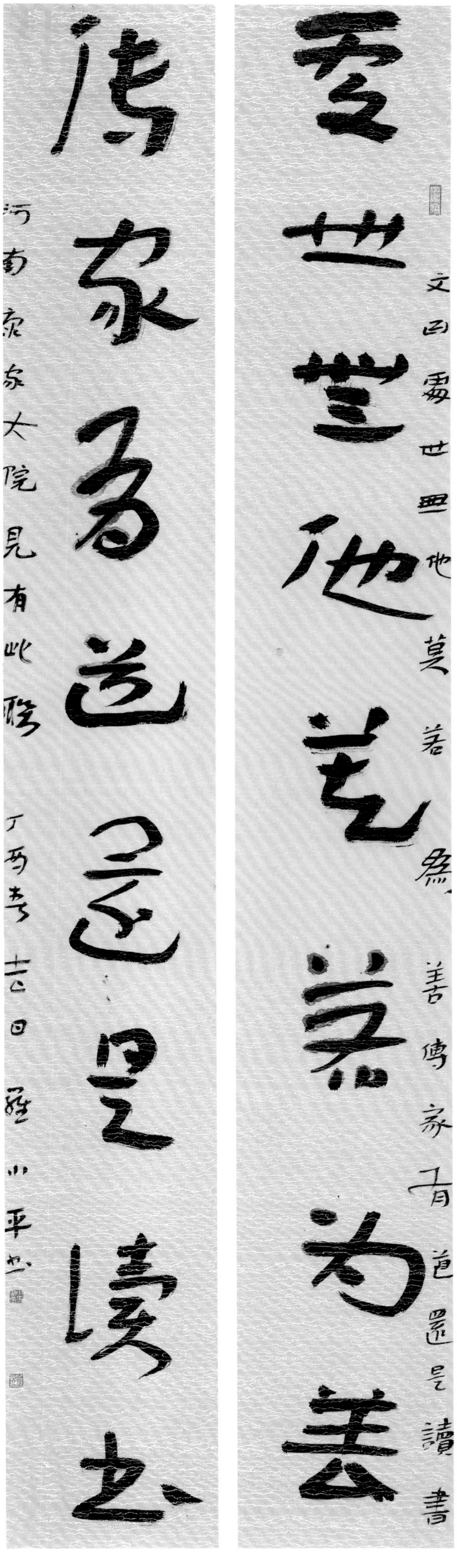

西安·罗小平

少典之子神明聖哲土
德承火赤帝是滅服牛
乘馬衣裳是製氏云名
官功冠五帝
録曹植黄帝贊一首
丁酉初春於古長安 張英群

西安·张英群

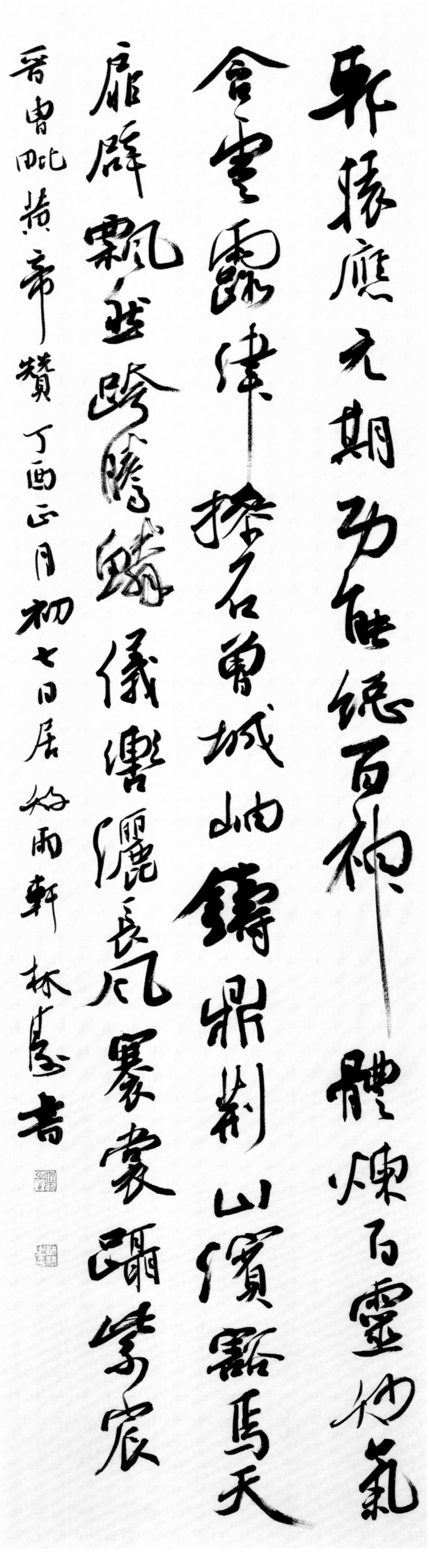

兰州·林涛

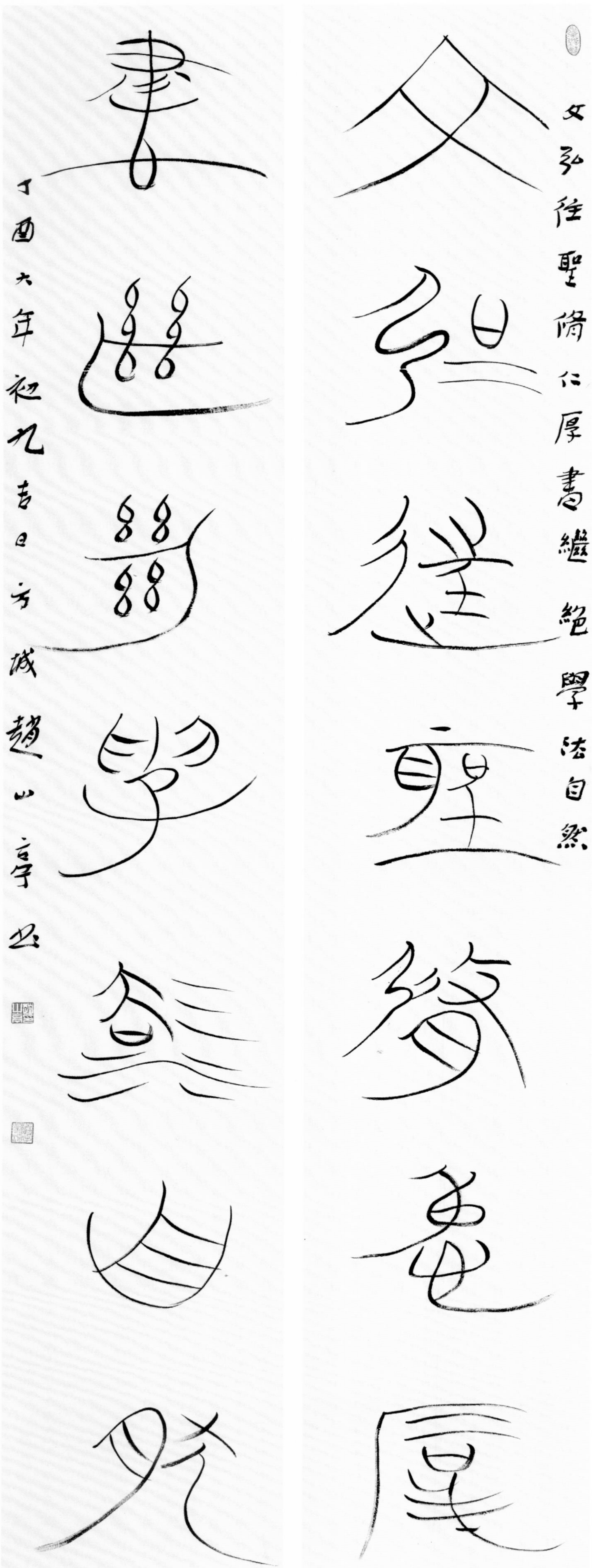

兰州·赵山亭

兰州·赵永成

兰州·郑虎林

兰州·魏翰邦

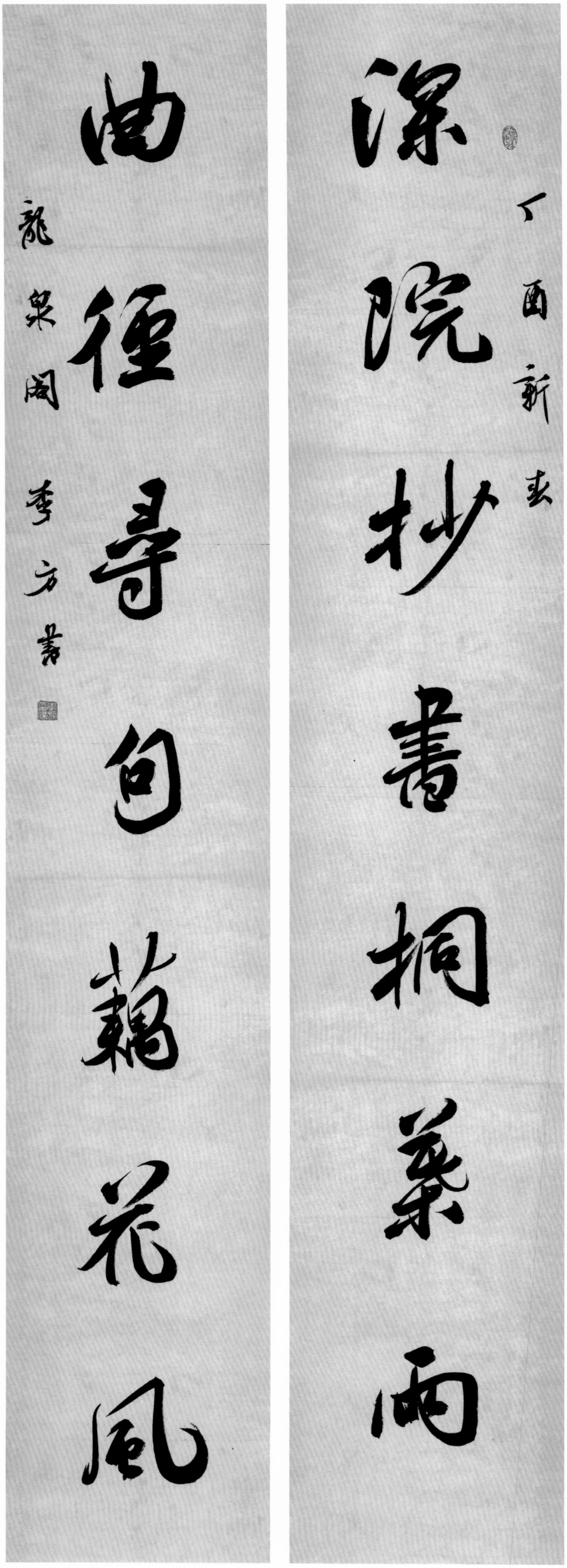
深院抄書桐葉雨
曲徑尋句藕花風
龍泉閣 李方書

新疆·李方

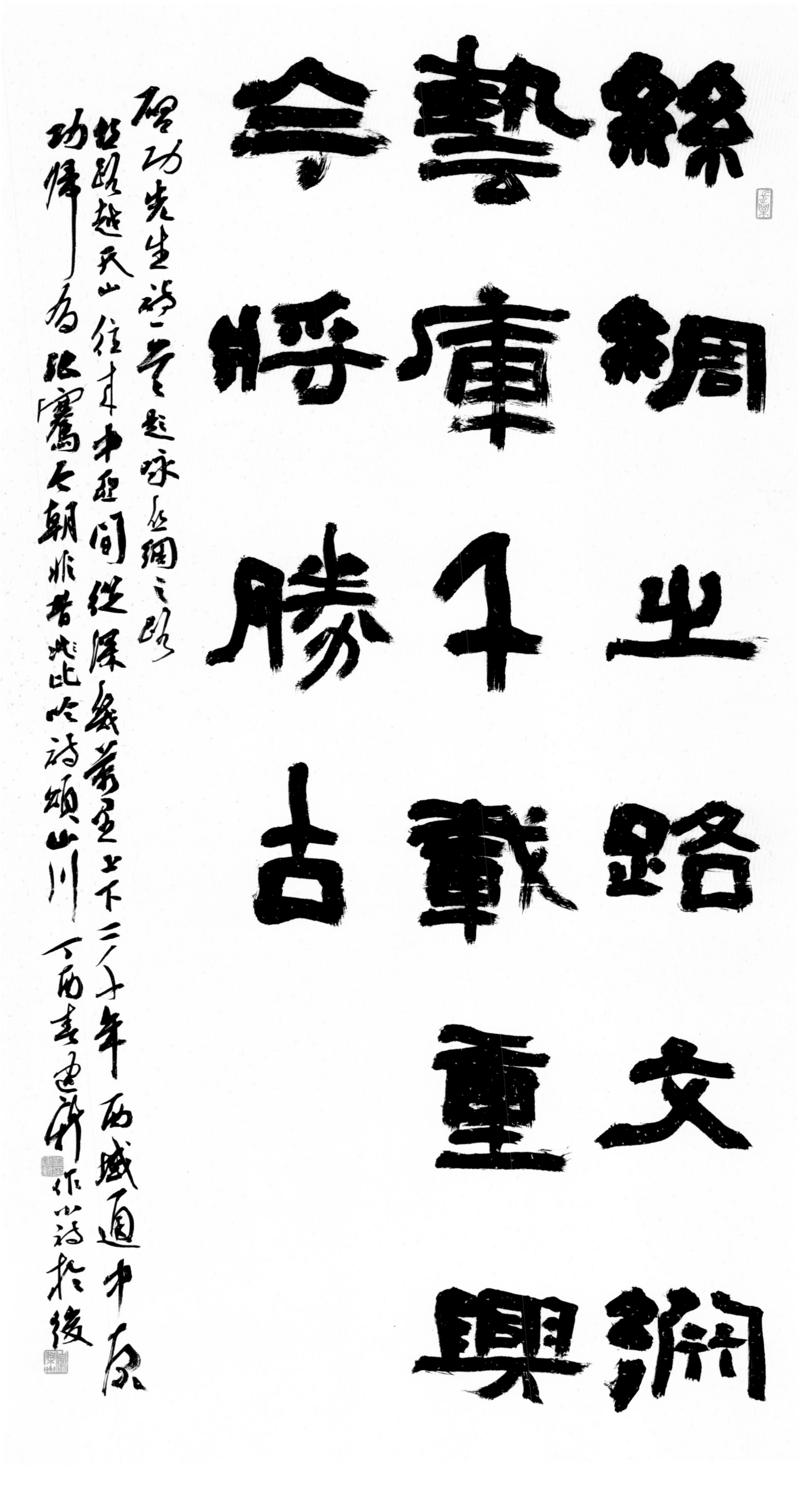

新疆·刘建新

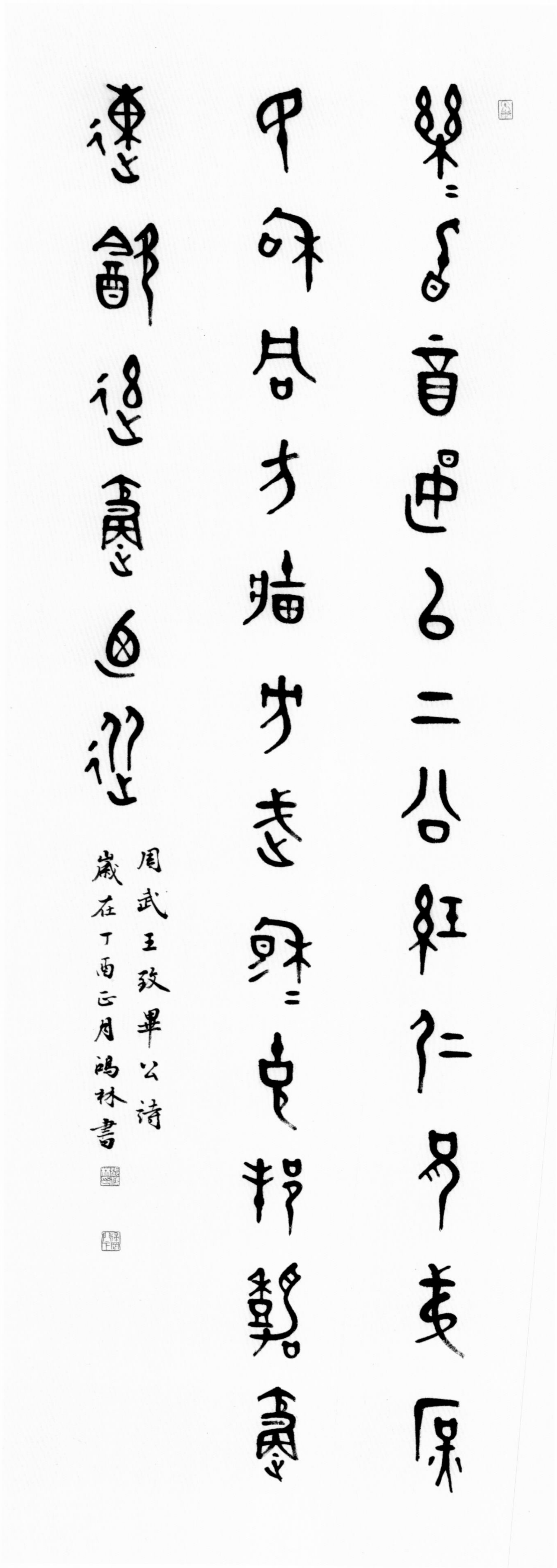
周武王致畢公詩
歲在丁酉正月鴻林書

新疆·张鸿林

新疆·马亚飞

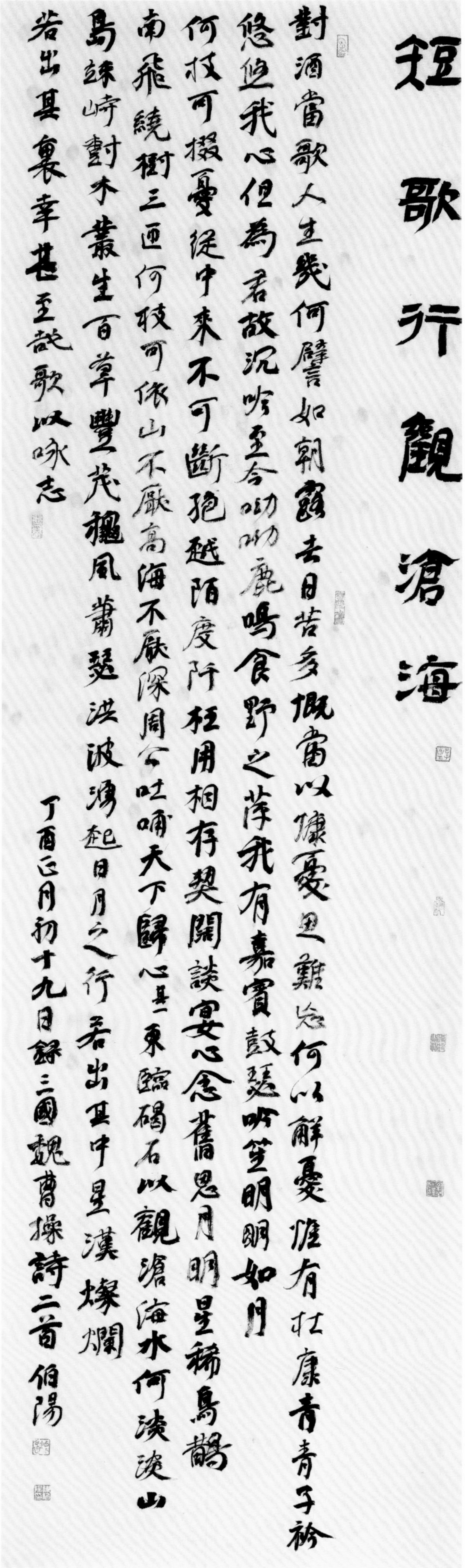
短歌行 觀滄海
對酒當歌人生幾何譬如朝露去日苦多慨當以慷憂思難忘何以解憂唯有杜康青青子衿
悠悠我心但為君故沉吟至今呦呦鹿鳴食野之苹我有嘉賓鼓瑟吹笙明明如月
何時可掇憂從中來不可斷絕越陌度阡枉用相存契闊談宴心念舊恩月明星稀烏鵲
南飛繞樹三匝何枝可依山不厭高海不厭深周公吐哺天下歸心東臨碣石以觀滄海水何澹澹山
島竦峙樹木叢生百草豐茂秋風蕭瑟洪波湧起日月之行若出其中星漢燦爛
若出其裏幸甚至哉歌以咏志
丁酉正月初十九日錄三國魏曹操詩二首 伯陽

新疆·陈伯阳

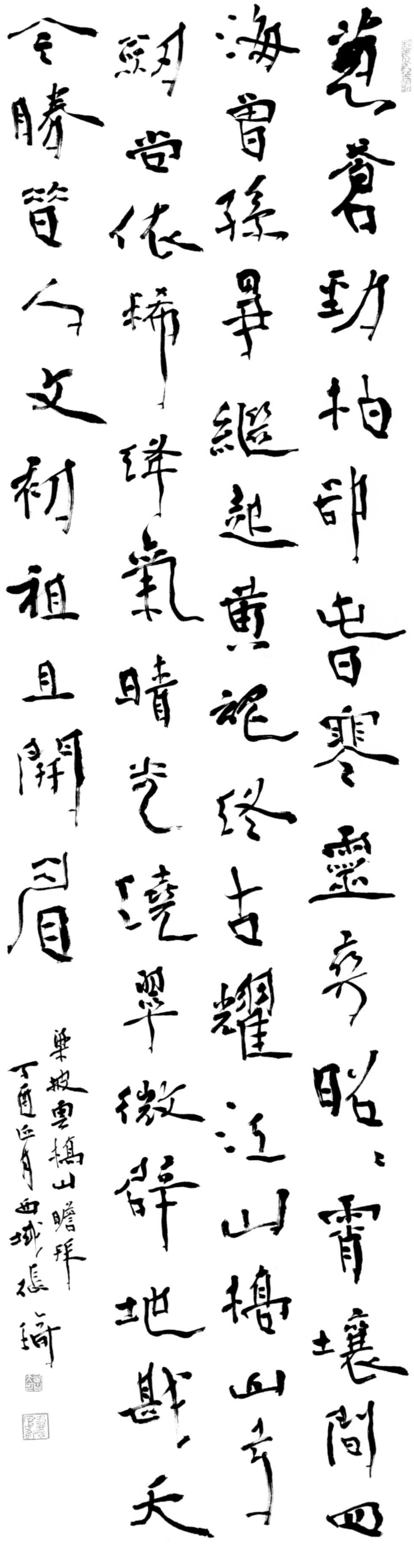

新疆·张琦

新疆·闫玉川

新疆·荆戈

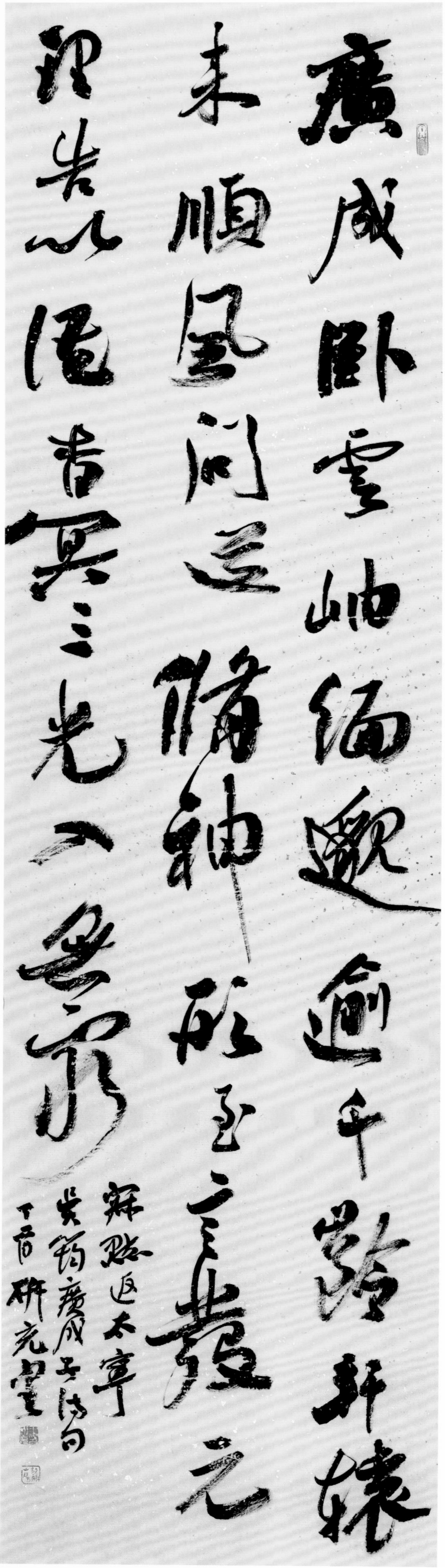

新疆·王研充

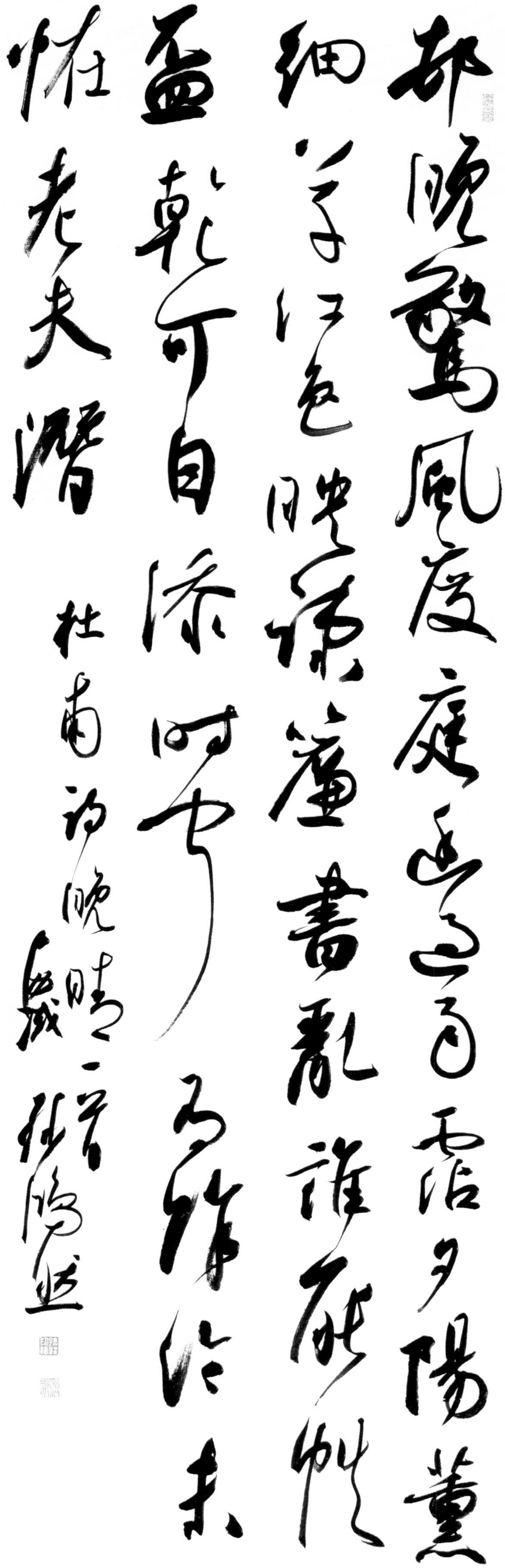
村晚惊风度庭幽过雨沾夕阳薰
细草江色映疏帘书乱谁能帙
杯干可自添时闻有余论未
怪老夫潜
杜甫诗晚晴一首
孙峰书

新疆·孙峰

新疆·孙朝军

山中有流水借問不知名映地
為天色飛空作雨聲轉來深澗
滿分出小池平恬淡無人見年
年長自清儲光義詩一首
時在丙申冬月
軒主人周强於新疆伊犁

新疆·周强

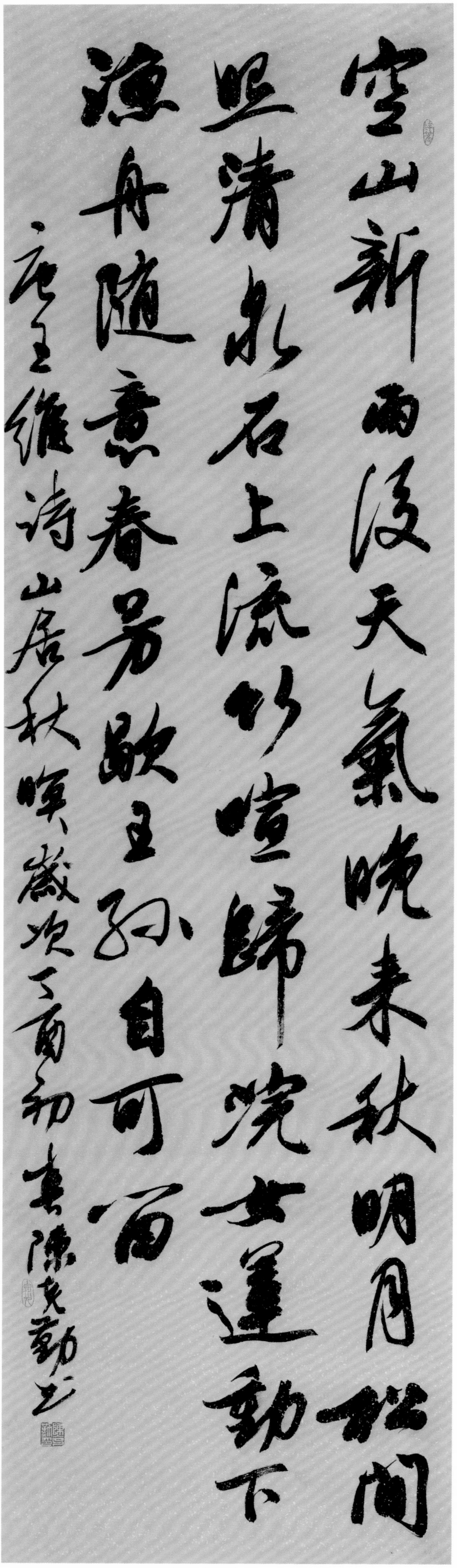

新疆·陈克勤

新疆·朱沐云

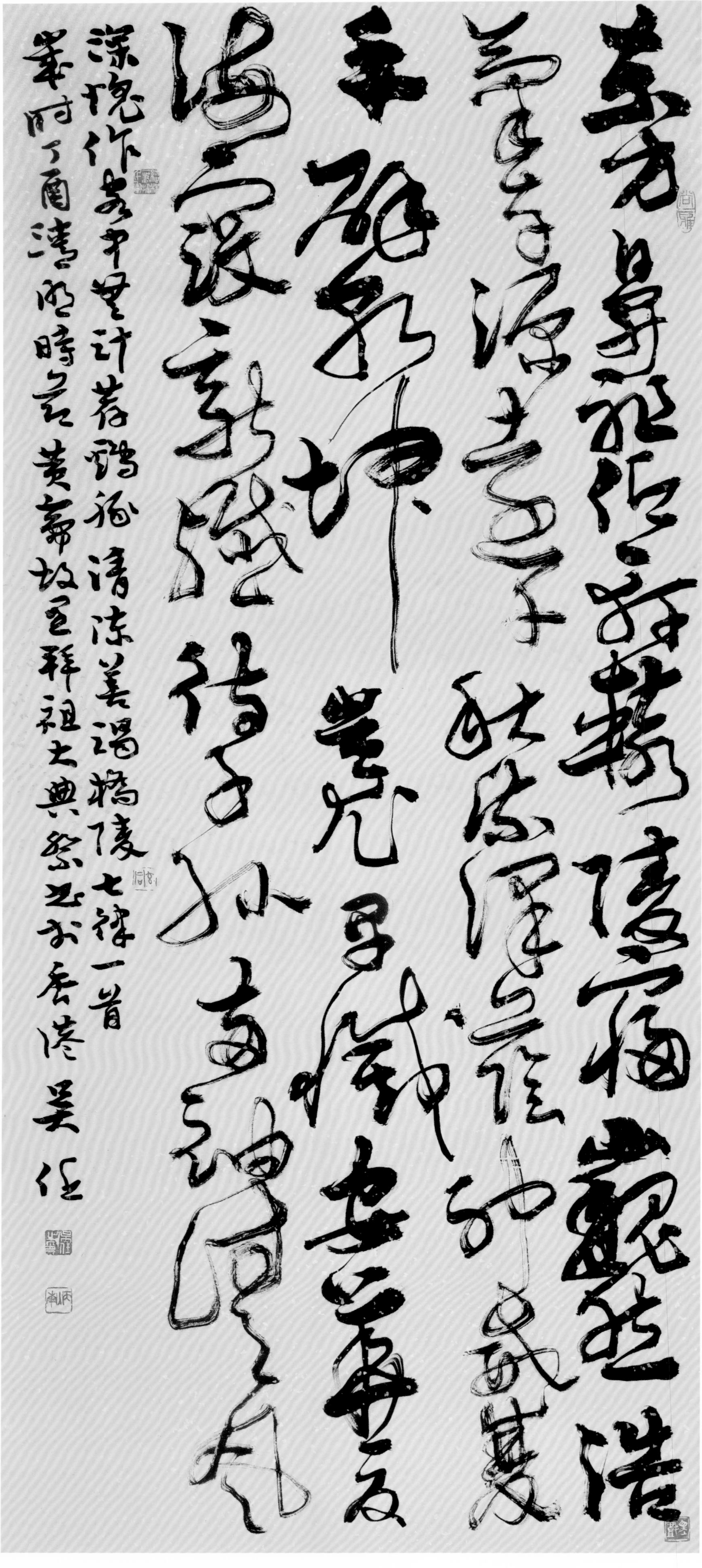

香港·吴任

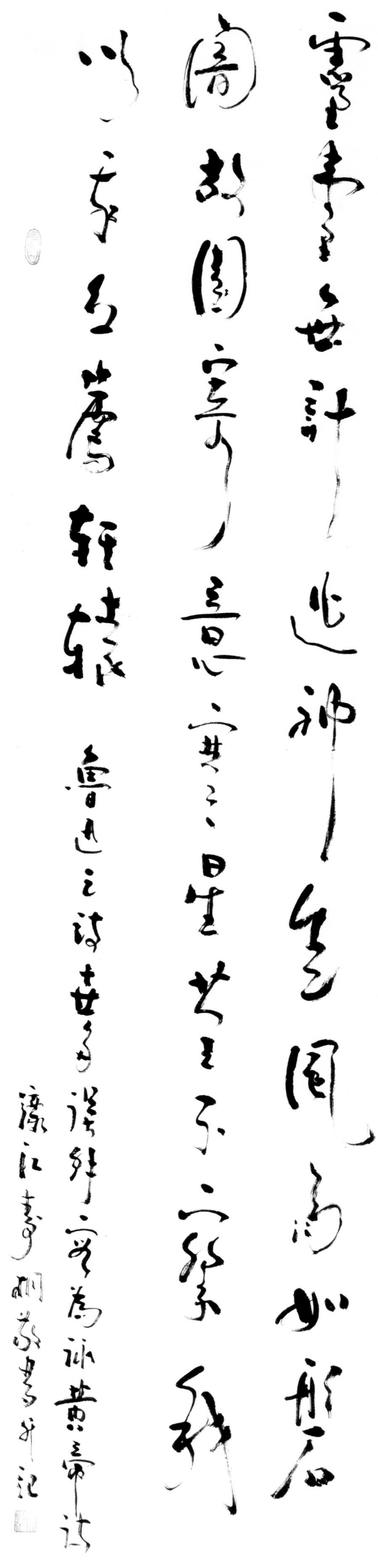

澳门·朱寿桐

黃帝者少典之子姓公孫名曰軒轅生而神靈弱而能言幼而徇齊長而敦敏成而聰明軒轅之時神農氏世衰諸侯相侵伐暴虐百姓而神農氏弗能征於是軒轅乃習用干戈以征不享諸侯咸來賓從而蚩尤最為暴莫能伐炎帝欲侵陵諸侯諸侯咸歸軒轅軒轅乃脩德振兵治五氣蓺五種撫萬民度四方教熊羆貔貅貙虎以與炎帝戰於阪泉之野三戰然後得其志蚩尤作亂不用帝命於是黃帝乃徵師諸侯與蚩尤戰於涿鹿之野遂禽殺蚩尤而諸侯咸尊軒轅為天子代神農氏是為黃帝天下有不順者黃帝從而征之平者去之披山通道未嘗寧居東至于海登丸山及岱宗西至于空桐登雞頭南至于江登熊湘北逐葷粥合符釜山而邑于涿鹿之阿遷徙往來無常處以師兵為營衛官名皆以雲命為雲師置左右大監監于萬國萬國和而鬼神山川封禪與為多焉獲寶鼎迎日推筴舉風后力牧常先大鴻以治民順天地之紀幽明之占死生之說存亡之難時播百穀草木淳化鳥獸蟲蛾旁羅日月星辰水波土石金玉勞勤心力耳目節用水火材物有土德之瑞故號黃帝黃帝二十五子其得姓者十四人黃帝居軒轅之丘而娶於西陵之女是為嫘祖嫘祖為黃帝正妃生二子其後皆有天下其一曰玄囂是為青陽青陽降居江水其二曰昌意降居若水昌意娶蜀山氏女曰昌僕生高陽高陽有聖德焉黃帝崩葬橋山其孫昌意之子高陽立是為帝顓頊也

中華民族始祖黃帝本紀

許金枝敬書於台北

台湾·许金枝

台湾·张松莲

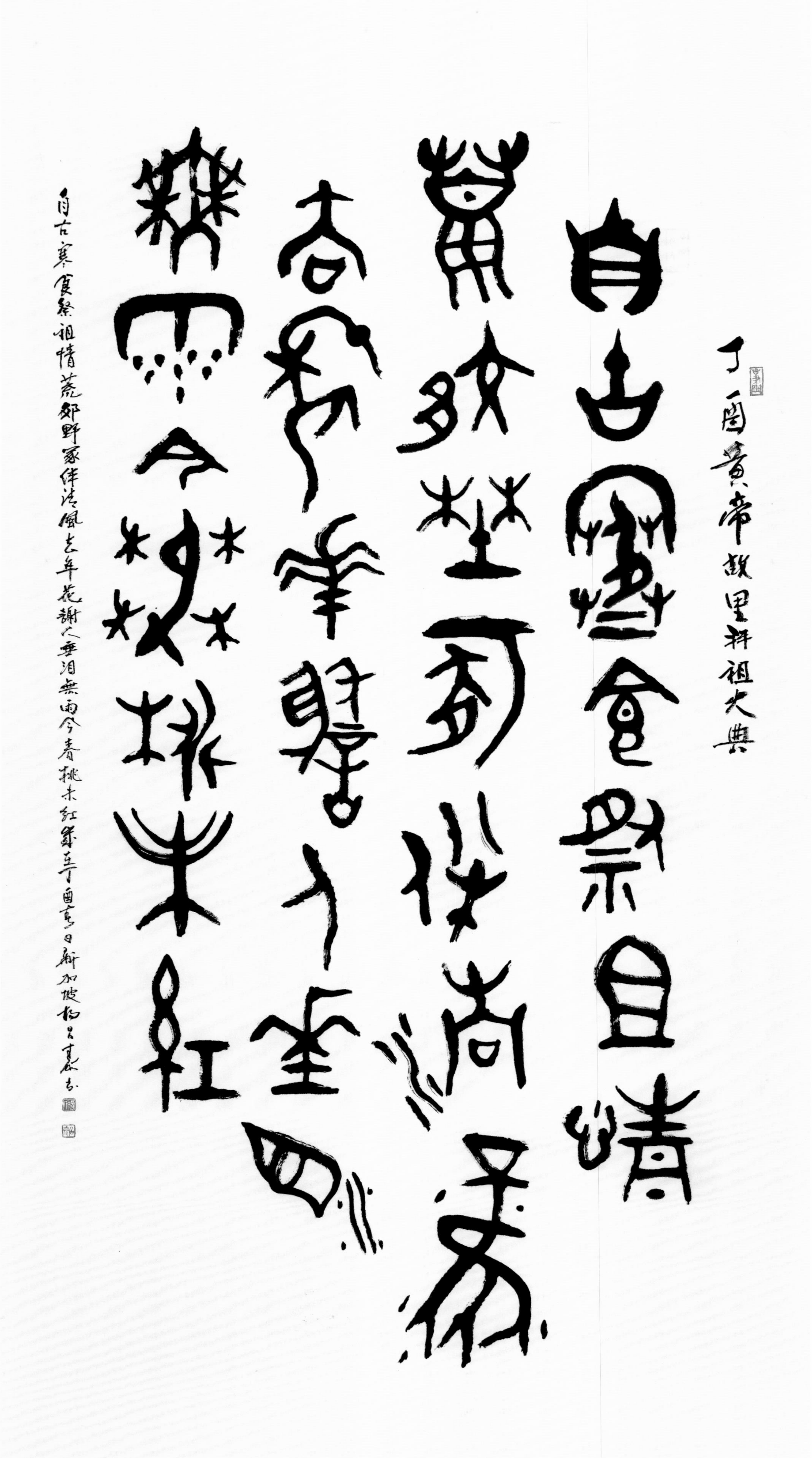
丁酉黄帝故里拜祖大典
自古寒食祭祖情荒郊野冢伴清風去年花謝人垂泪無雨今春桃木紅
丁酉夏日新加坡楊昌泰書

新加坡 · 杨昌泰

赫赫始祖吾華肇造胄衍祀綿嶽峨河浩聰明睿智光被遐荒
建此偉業雄立東方世變滄桑中更蹉跌越數千年强鄰蔑德
琉臺不守三韓爲墟遼海燕冀漢奸何多以地事敵敵欲豈足
人執笞繩我爲奴辱懿維我祖命世之英涿鹿奮戰區宇以寧
豈其苗裔不武如斯泱泱大國讓其淪胥東等不才劍屨俱奮
萬里崎嶇為國效命頻年苦鬥備歷險夷匈奴未滅何以家為
各黨各界團結堅固不論軍民不分貧富民族陣綫救國良方
四萬萬衆堅決抵抗民主共和改革內政億兆一心戰則必勝
還我河山衛我國權此物此志永矢勿諼經武整軍昭告列祖
寔鑒臨之皇天后土　尚饗
毛澤東祭黃帝陵祭文

漢興六十餘載海內艾安府庫充實而四夷未賓制度多闕上方欲
用文武求之如弗及始以蒲輪迎枚生見主父而歎息羣士慕嚮異
人並出卜式拔於芻牧弘羊擢於賈豎衛青奮於奴僕日磾出於
降虜斯亦曩時版築飯牛之朋已漢之得人於茲為盛儒雅則公孫
弘董仲舒兒寬篤行則石建石慶質直則汲黯卜式推賢則韓安國
鄭當時定令則趙禹張湯文章則司馬遷相如滑稽則東方朔枚皋
應對則嚴助朱買臣歷數則唐都洛下閎協律則李延年運籌則桑
弘羊奉使則張騫蘇武將率則衛青霍去病受遺則霍光金日磾其
餘不可勝紀是以興造功業制度遺文後世莫及孝宣承統纂修洪
業亦講論六藝招選茂異而蕭望之梁丘賀夏侯勝韋弘成嚴彭祖
尹更始以儒術進劉向王褒以文章顯將相則張安世趙充國魏相
丙吉于定國杜延年治民則黃霸王成龔遂鄭弘名信臣韓延壽尹
翁歸趙廣漢嚴延年張敞之屬皆有功迹見述於世參其名臣亦其
次也
丙申秋月孫豪書褚遂良倪寬贊於日本東京

日本·孙豪

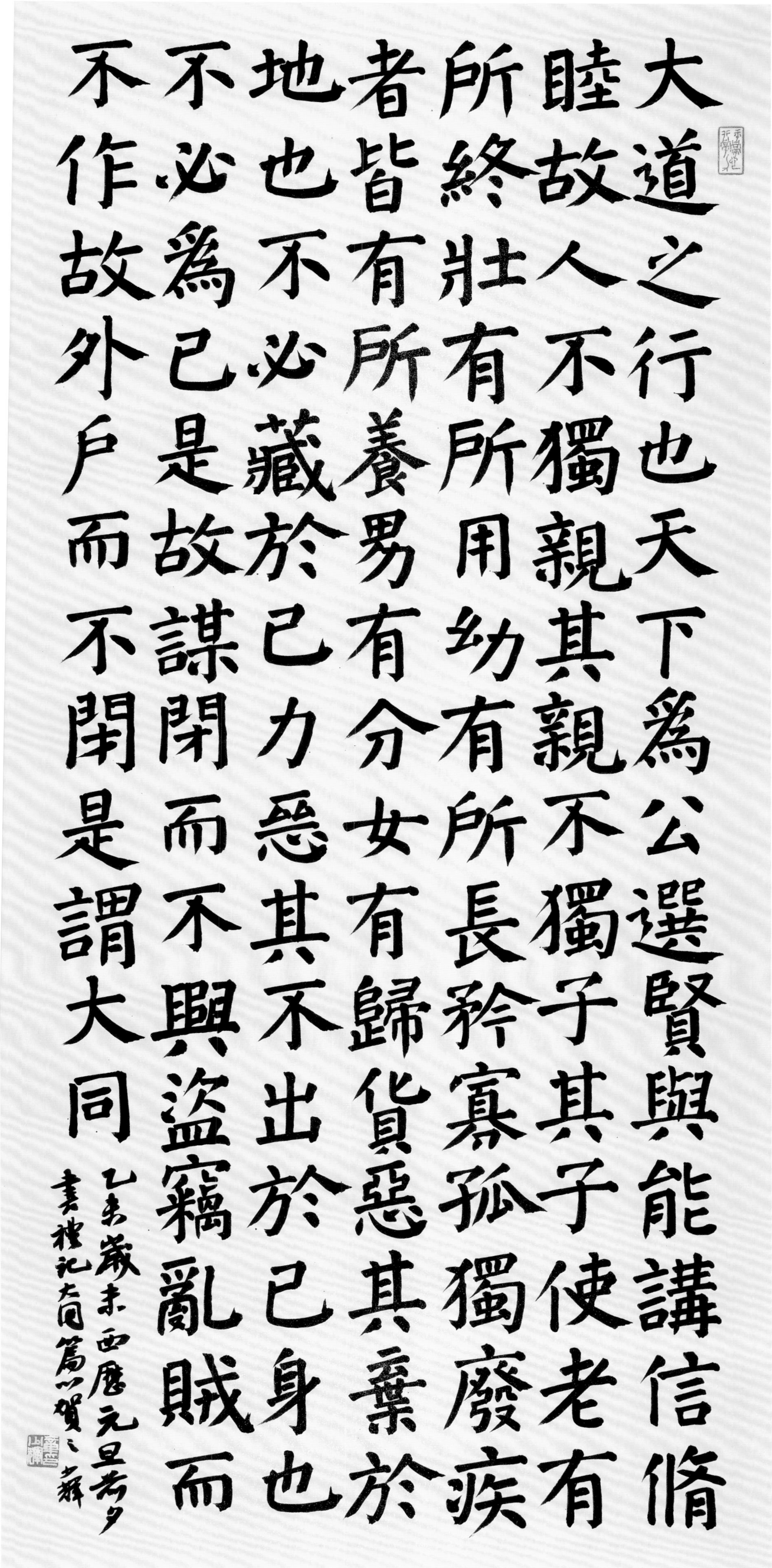
大道之行也天下為公選賢與能講信脩
睦故人不獨親其親不獨子其子使老有
所終壯有所用幼有所長矜寡孤獨廢疾
者皆有所養男有分女有歸貨惡其棄於
地也不必藏於己力惡其不出於己身也
不必為己是故謀閉而不興盜竊亂賊而
不作故外戶而不閉是謂大同
乙未歲末西歷元旦前夕
書禮記大同篇以賀之

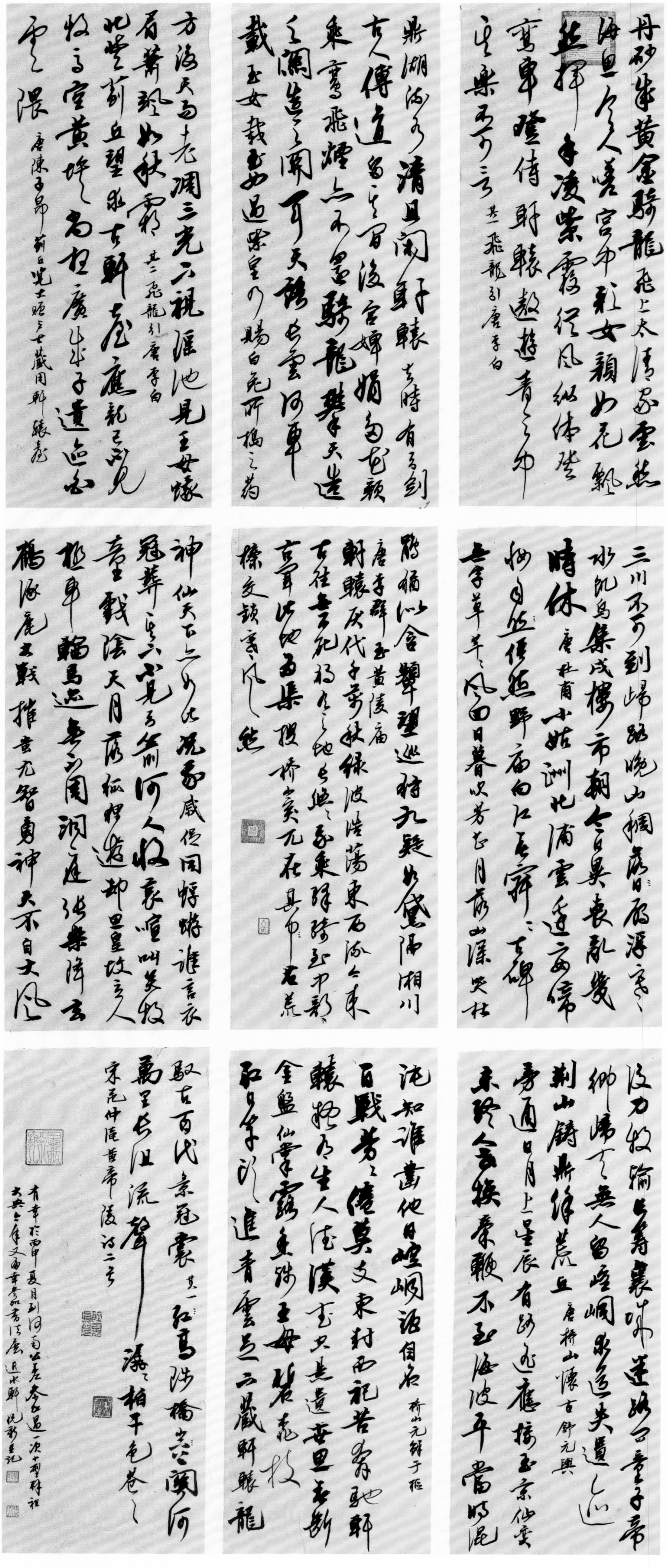

捷克·孙悦新

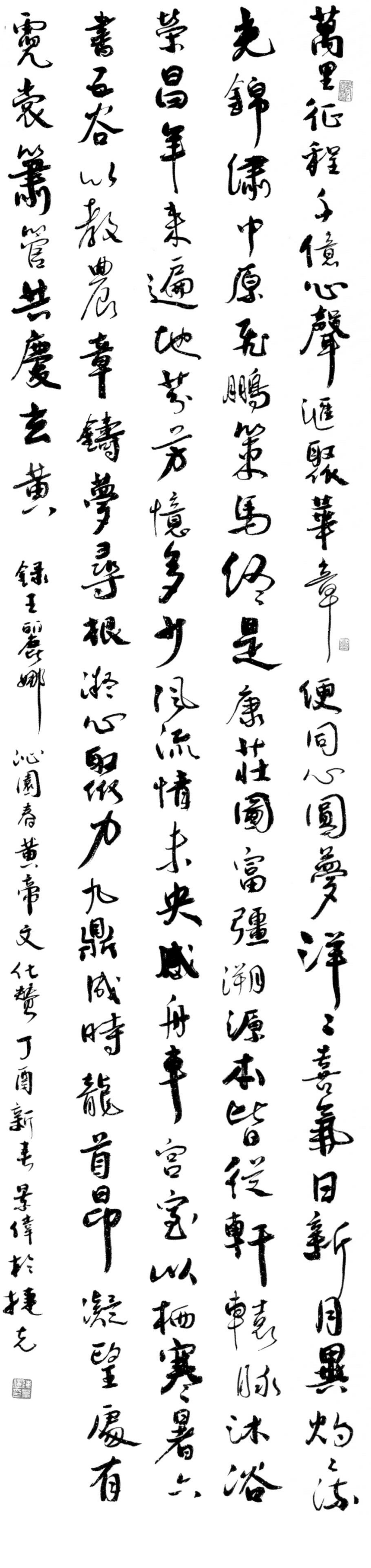
萬里征程千億心聲匯聚華章
便同心圓夢洋々喜氣日新月異灼々流
光錦繡中原飛鵬策馬終是康莊國富疆溯源本皆從軒轅脈沐浴
榮昌千年來遍地芬芳憶多少風流情未央感舟車宮室以栖寒暑六
書百谷以敬農章鑄夢尋根凝心聚力九鼎成時龍首昂凝望處有
霓裳簫管共慶玄黃
錄王雪娜
沁園春黃帝文化贊 丁酉新春 景偉於捷克

捷克 · 陈景伟

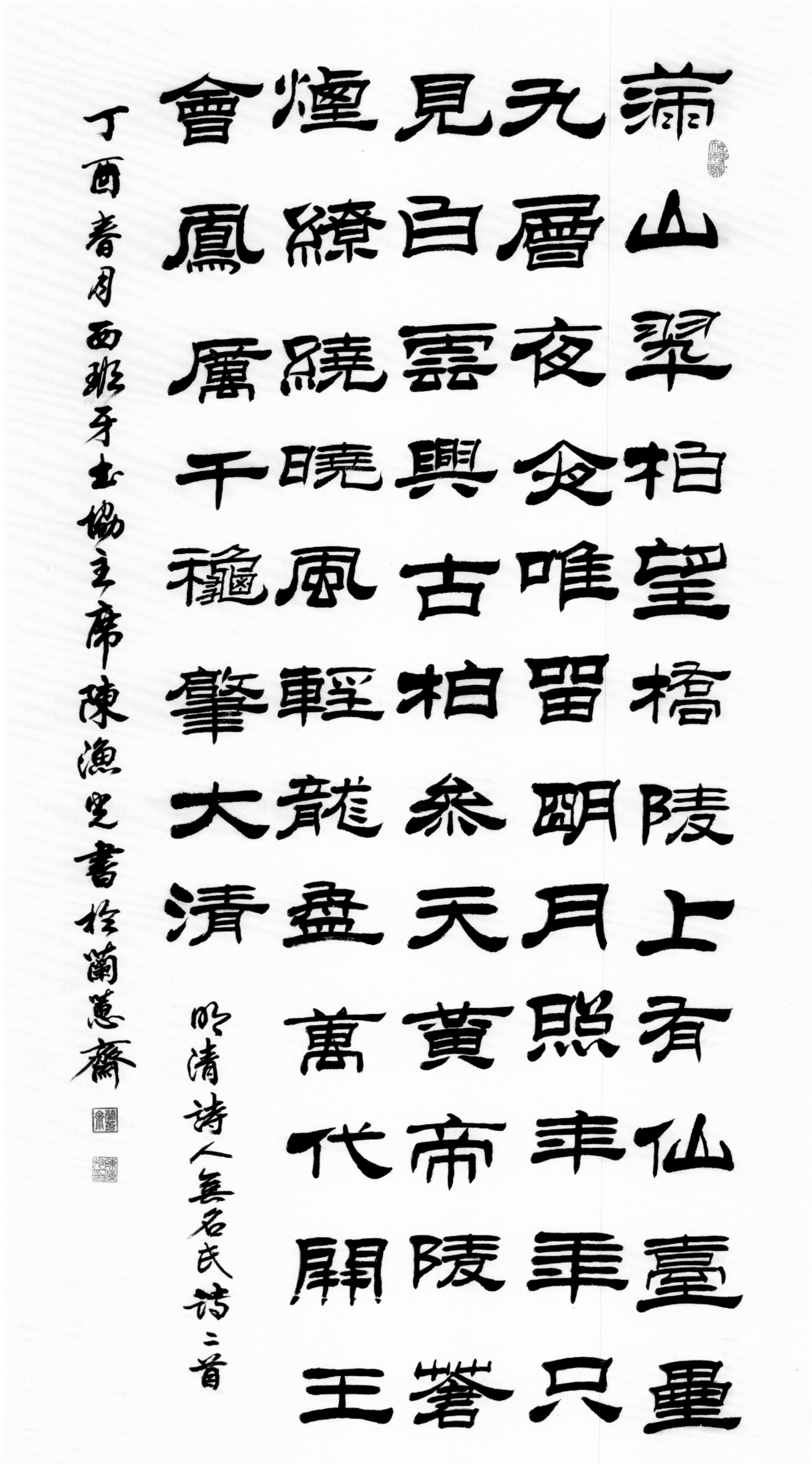
滿山翠柏望橋陵上有仙臺壘
九層夜來唯留明月照年年只
見白雲興古柏參天黃帝陵蓍
煙繚繞曉風輕龍盤萬代開王
會鳳麐千龝肇大清
明清詩人無名氏詩二首
丁酉春月西班牙書協主席陳漁光書於蘭蕙齋

西班牙 · 陈渔光

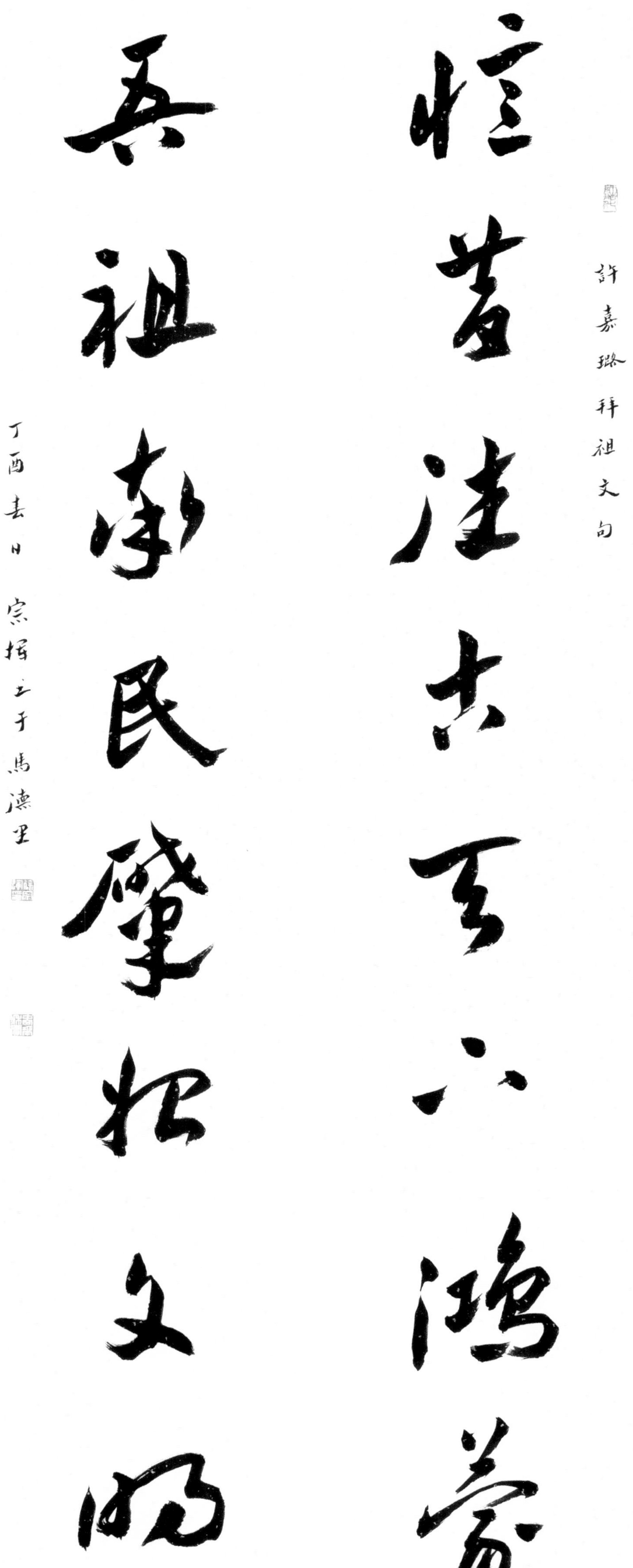

西班牙·徐宗挥

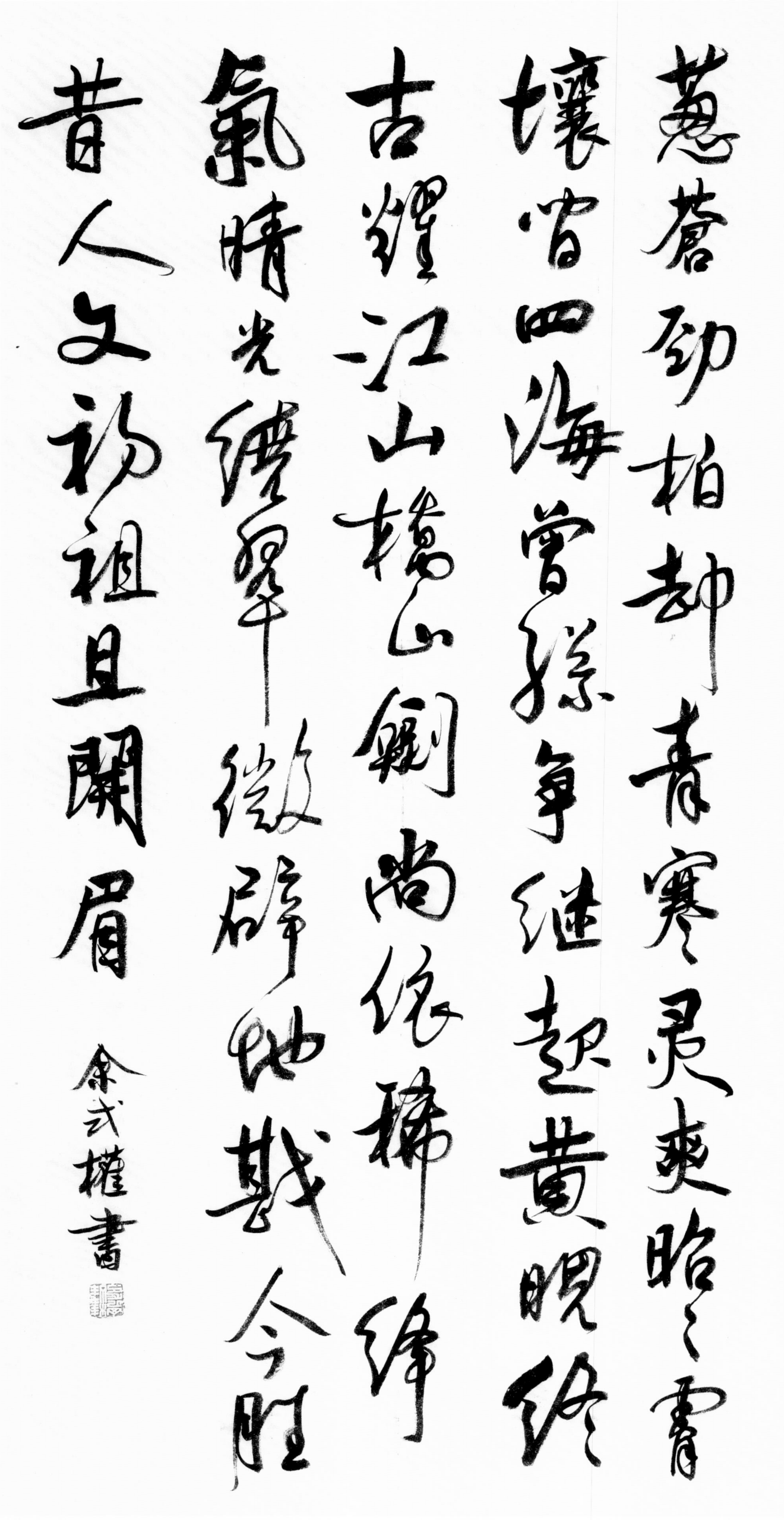

意大利·余式权

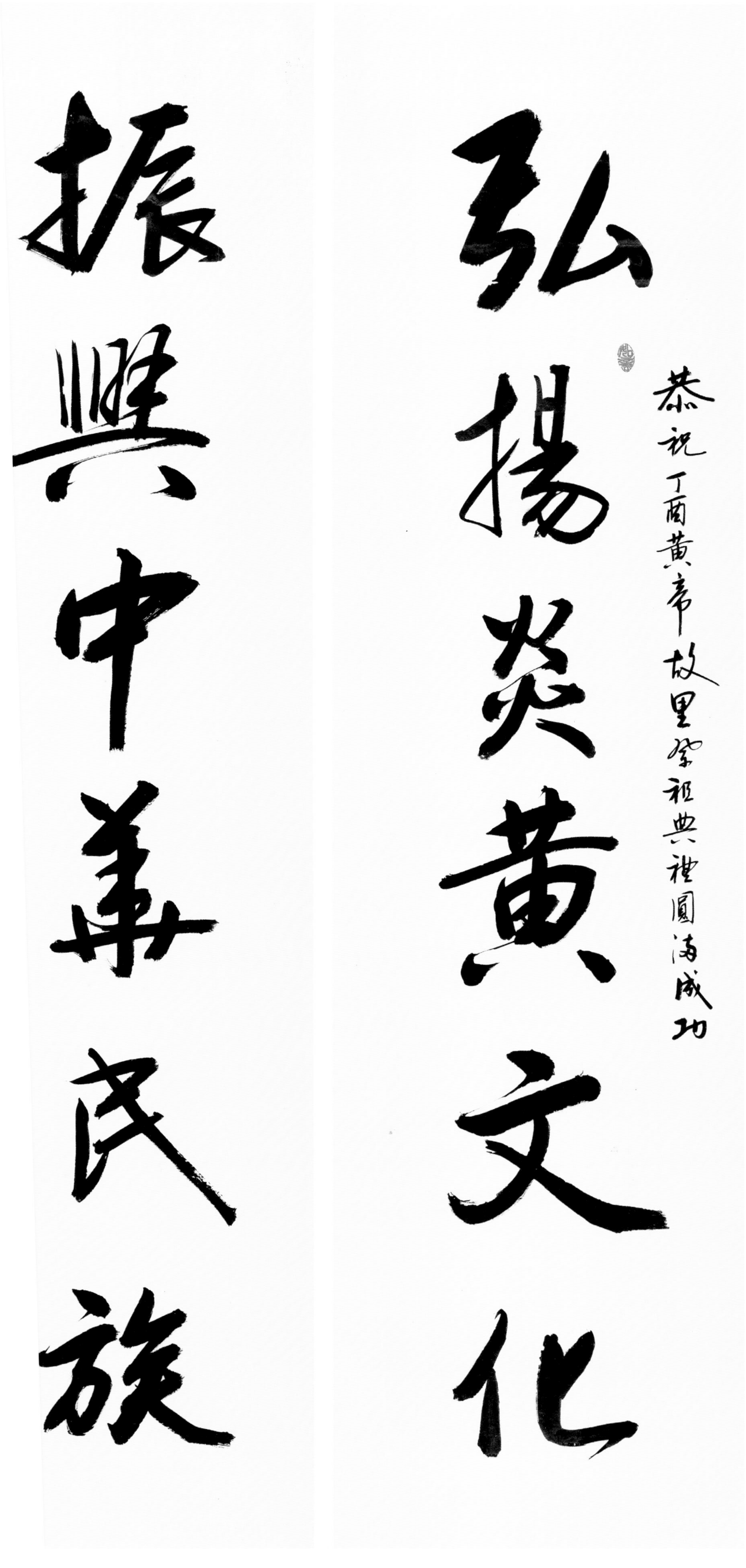
弘扬炎黄文化
振兴中华民族
恭祝丁酉黄帝故里拜祖典礼圆满成功

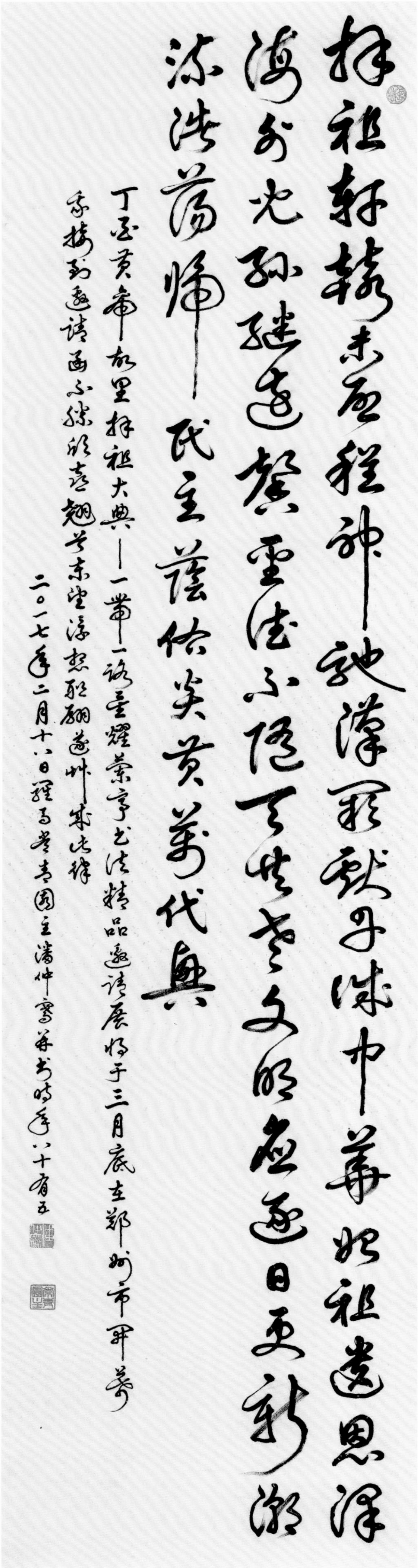

意大利·潘仲骞

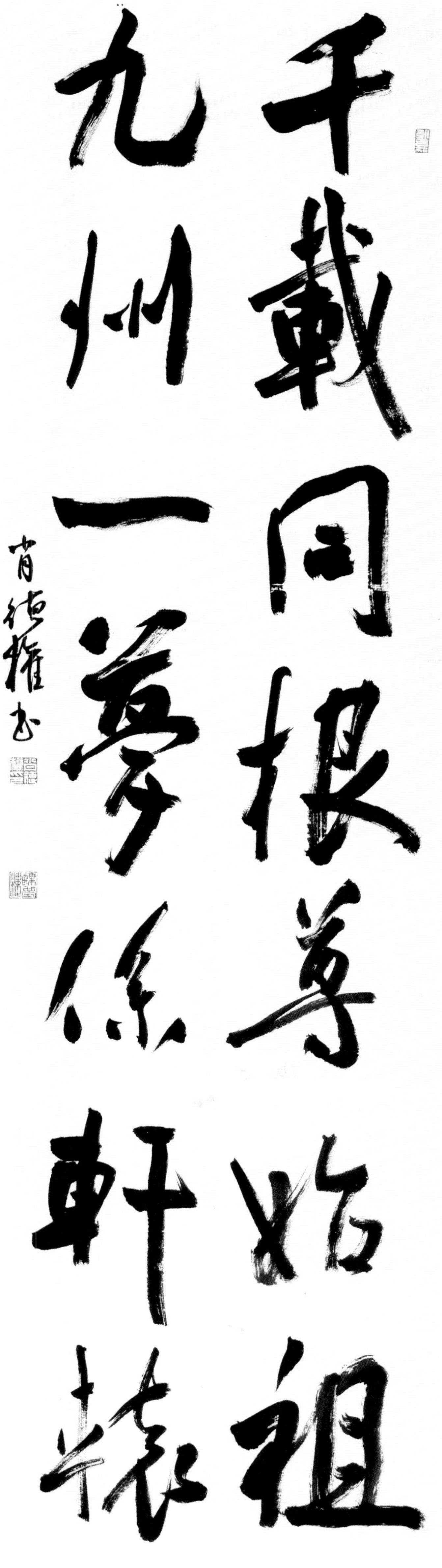
千載同根尊始祖
九州一夢係軒轅
肖德權書

意大利·肖德权

赫赫始祖吾華肇造胄衍祀綿嶽峩河浩聰明睿知光被遐荒建此偉業雄立東方世變滄桑中更蹉跌越數千年強鄰蔑德琉臺不守三韓為墟遼海燕冀漢奸何多以地事敵敵欲豈足人執笞繩我為奴辱懿維我祖命世之英涿鹿奮戰區宇以寧豈其苗裔不武如斯泱泱大國讓其淪胥東等不才劍屨俱奮萬裏崎嶇為國效命頻年苦鬥備歷險夷匈奴未滅何以為家各黨各界團結堅固不論軍民不分貧富民族陣線救國良方四萬萬眾堅決抵抗民主共和改革內政億兆一心戰則必勝還我河山衛我國權此物此志永矢勿諼經武整軍昭告列祖實鑒臨之皇天後土尚饗

上錄毛澤東祭黃帝陵全文

維中華民國二十六年四月五日蘇維埃政府主席毛澤東人民抗日紅軍總司令朱德敬派代表林祖涵以鮮花時果之儀致祭于我中華民族始祖軒轅黃帝之陵而致詞

這一篇祭文由毛澤東起草毛澤東朱德兩人署名作於一九三七年三月實際上是毛澤東代表中國共產黨發布的號召全民族抗戰的宣言書也是中國共產黨及其領導下的軍隊誓為抗日救亡之先驅的出師表

丁酉之春

二〇一七年三月書於羅馬尼亞

罗马尼亚·商建舜

黄帝功德传万世

丁酉年孟春

中华精神炳千秋

北美·翟文章

養天地正氣
歲在丁酉春日
極風雲壯觀

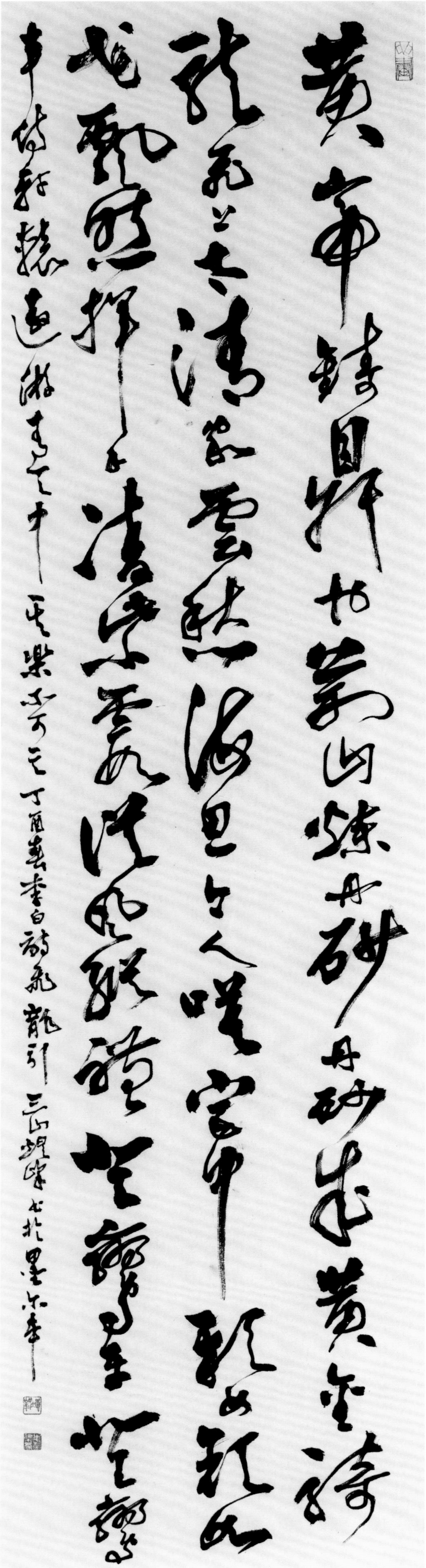

澳大利亚 · 林煜峰

黄帝骑龙升青冥
桥山未必葬衣襟
经纬密坐尽地律吕
通神弓剑

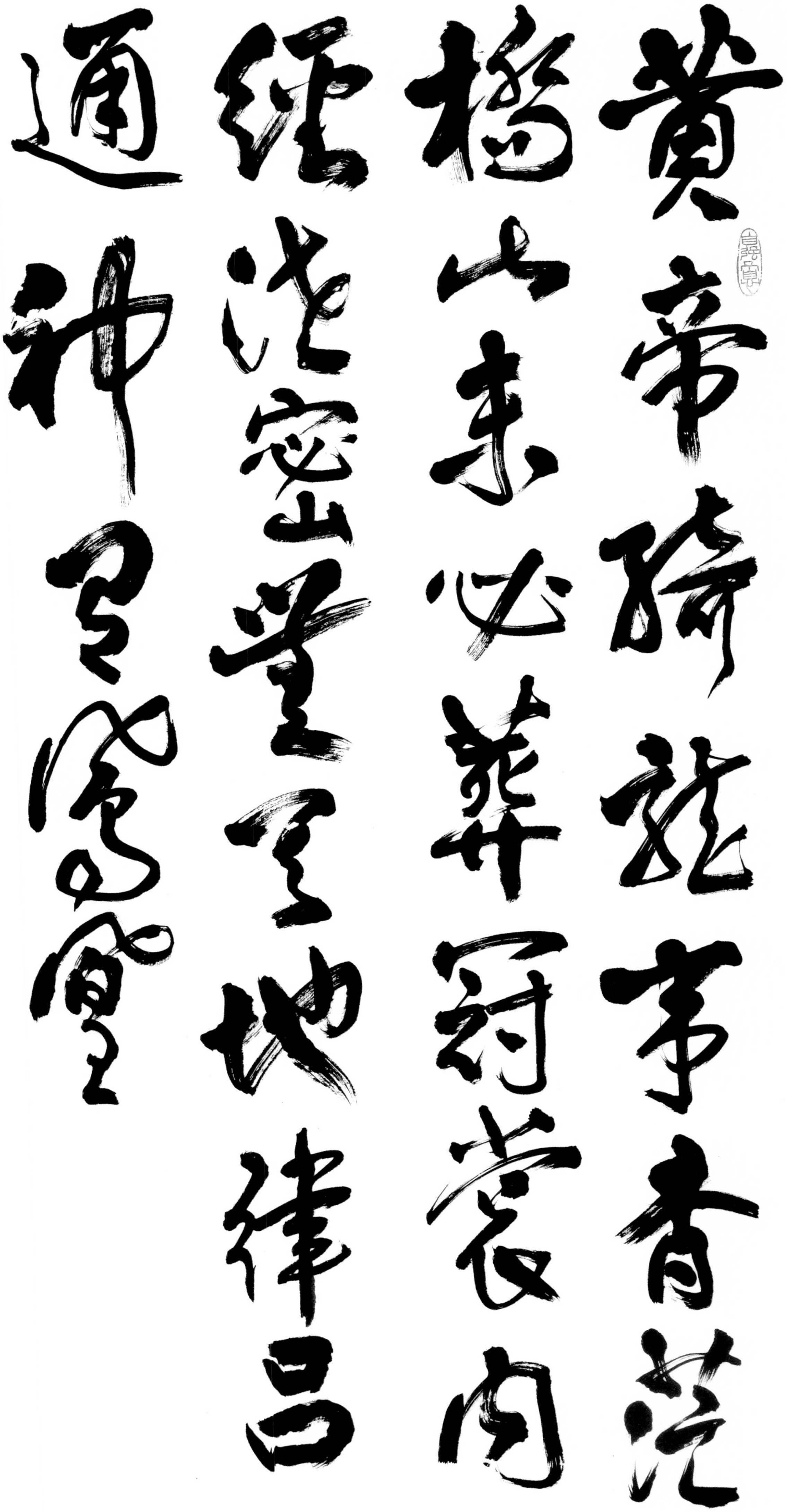

法国·朱祥前

城北橋山有茂陵人文始祖世人稱子孫膜拜仙
臺祭百姓推崇鼓樂升萬載榮昌民族夢千
詩歌頌玉壺凝太平天下琴弦奏興我中華
有奮鵬

林鴻範撰詩 歲次丁酉之春 徐建平

法国·徐建平

星耀兰亭

XING YAO LAN TING

万力

夢追龍馭姬水功德九萬里
根在帝陵橋山衣冠五千年

丁酉新正銘洪書

于铭洪

王卫军

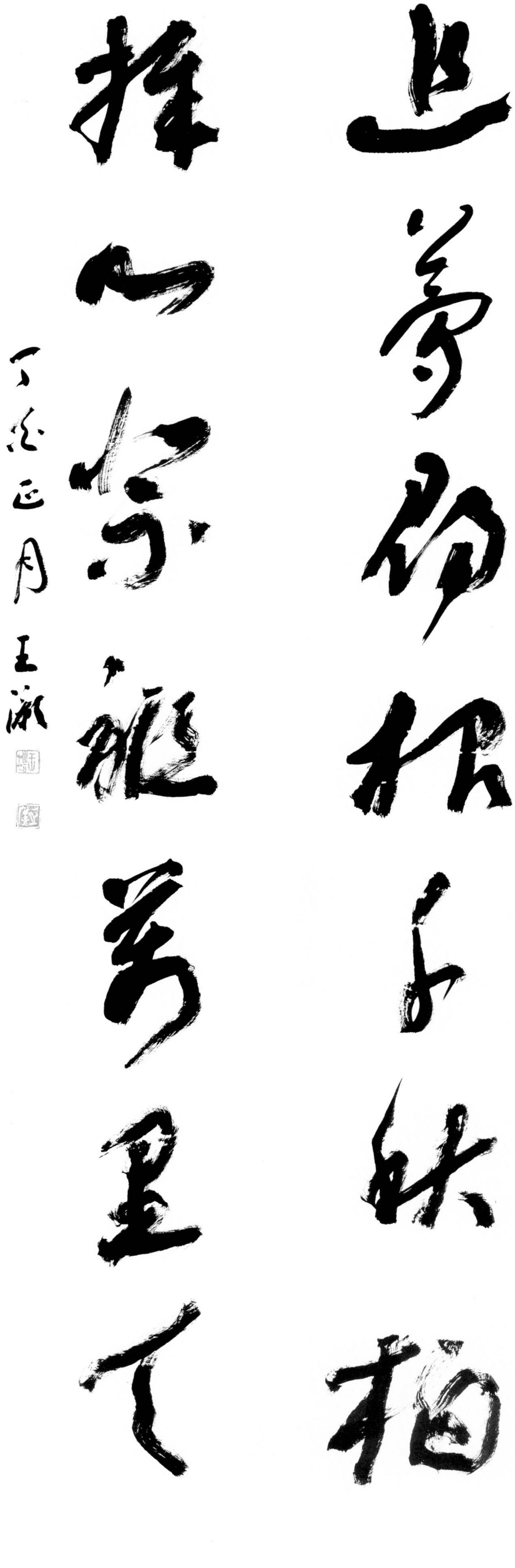

王浩

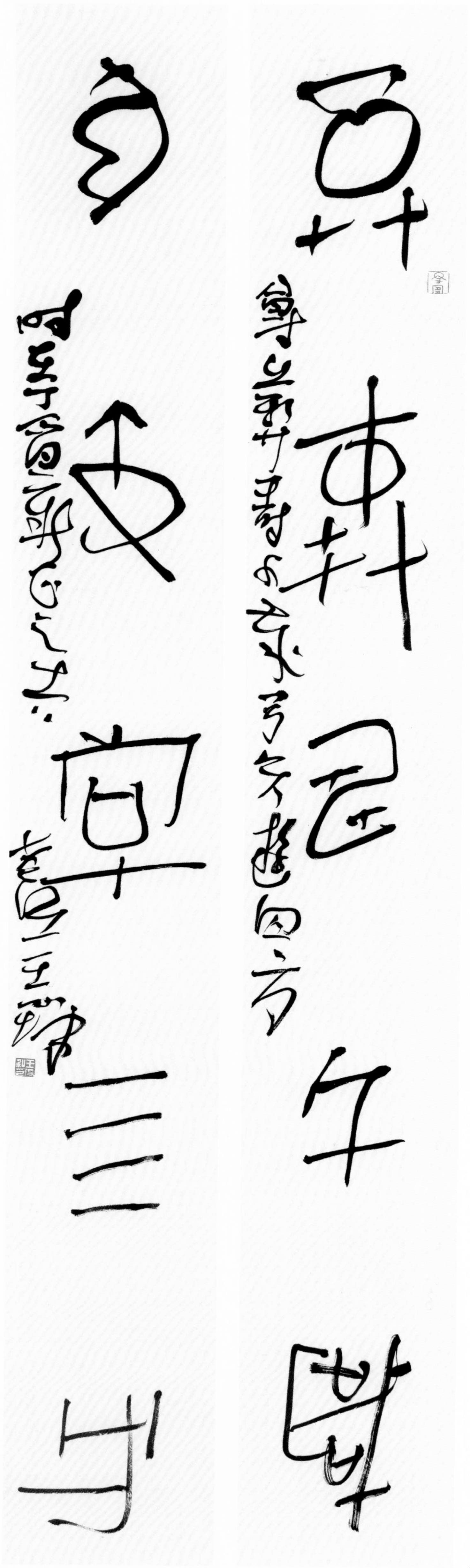

王瑞

规矩者方圆之极则也天地者规矩之运行也世知有规矩而不知夫乾坤转之义此天地之缚人于法人之役法于蒙虽攘先天后天之法终不得其理之所存所以有是法不能了者反为法障之也古今法障不了由一

盘之理不明一盘不明则障自远矣夫画者从心者也远矣夫画者形天地万物者也舍笔墨其何以形之哉墨受于天浓淡枯润随之笔操于人勾皴烘染随之古之人未尝不以法为也无法则

于世至限矣然至限而限之也非无法而限之也法无障障无法法自画生障自画退法障两具众法不济也一画了矣障翳然矣

障不杂而乾旋坤转之义得矣其道彰矣一画明矣

胜拜黄帝笔下有青波良川

普道非道徒向画中寻真迹无从求

古以化未见夫人也尝慨其泥古不化者是钩皴之法随似则不广故君子惟借古以开今又曰至人无法非无法也无法而法乃为至法凡事有经必有权有法必有化一知其经即变其权一知其法即功于化夫画天下变通之大法也山川形势之精英也古今造物之陶冶也阴阳气度之流行也借笔墨以写天地万物而陶泳乎我也丁酉春王昱

王昱

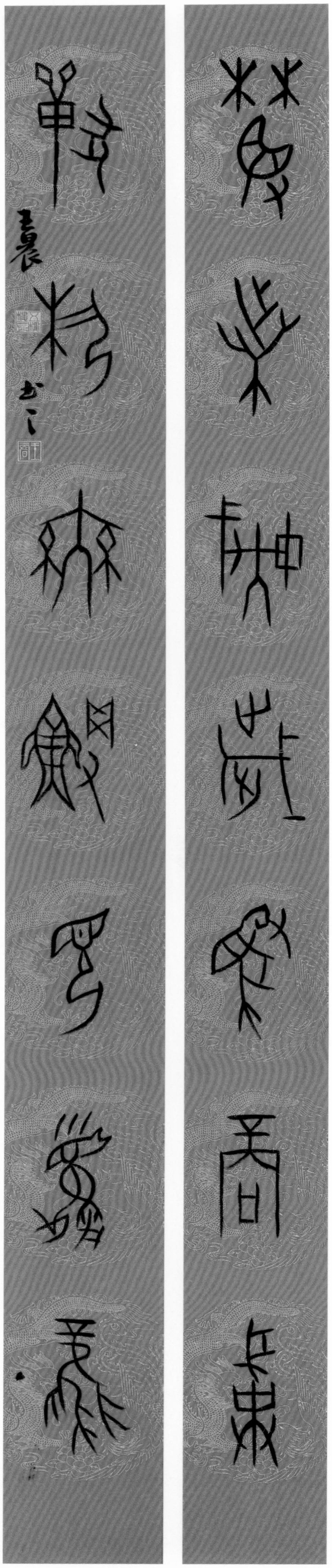

王晨

王乃勇

王国柱

仇高驰

丛建

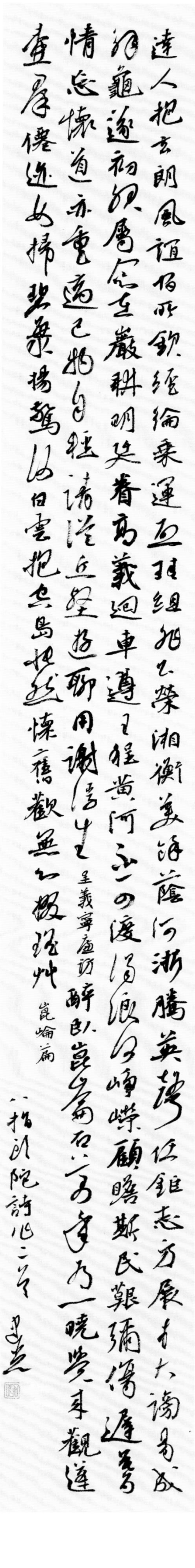

方建光

古賢詩鈔
中國書法講究法與意之統一雖各有其特征又彼此關聯綜合
起來說先行立意以意使法法為意用法意統一故習書應
師法古人又應自抒心意
逸品軒主人石文貞書

石文贞

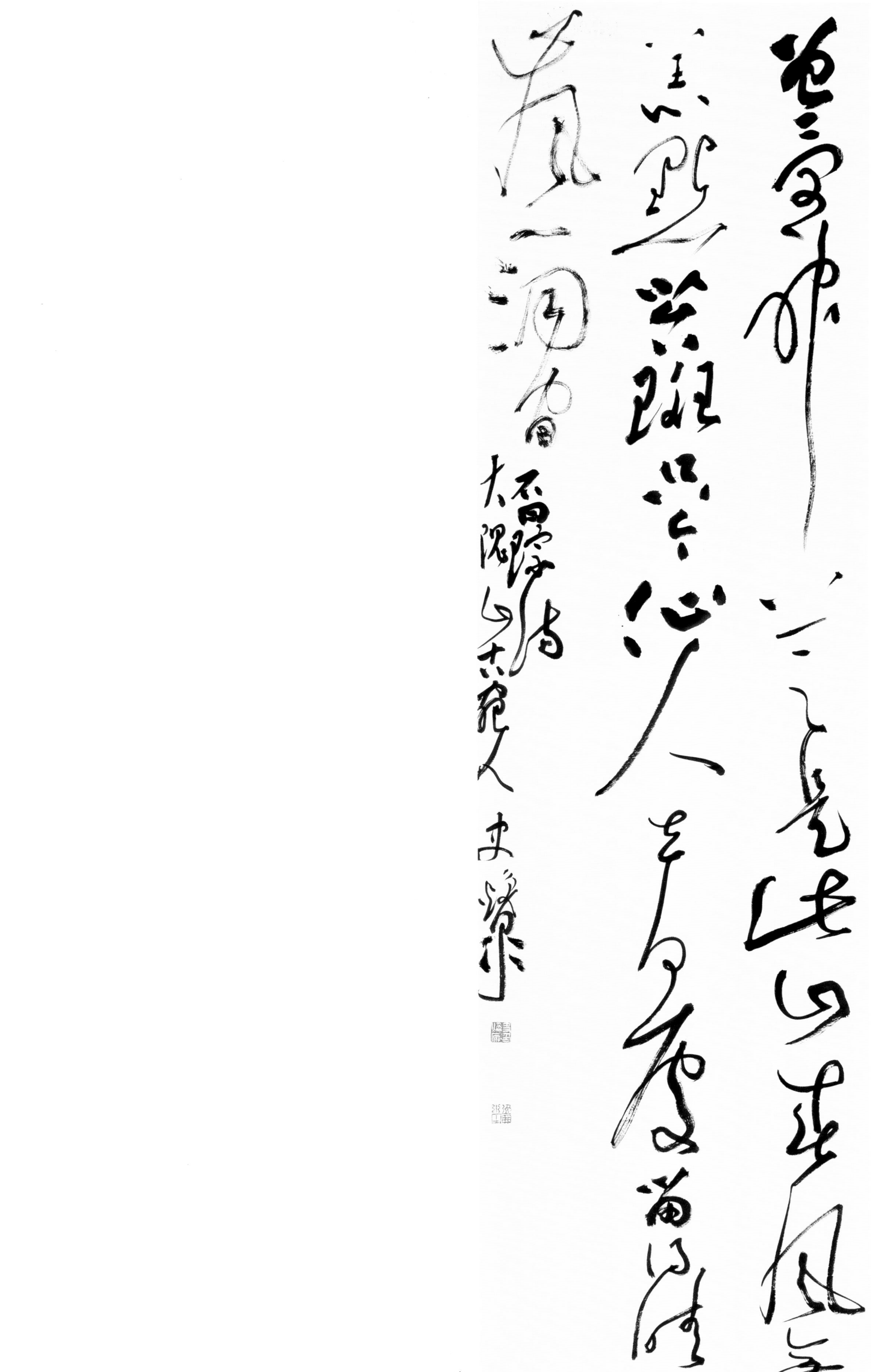

史焕泉

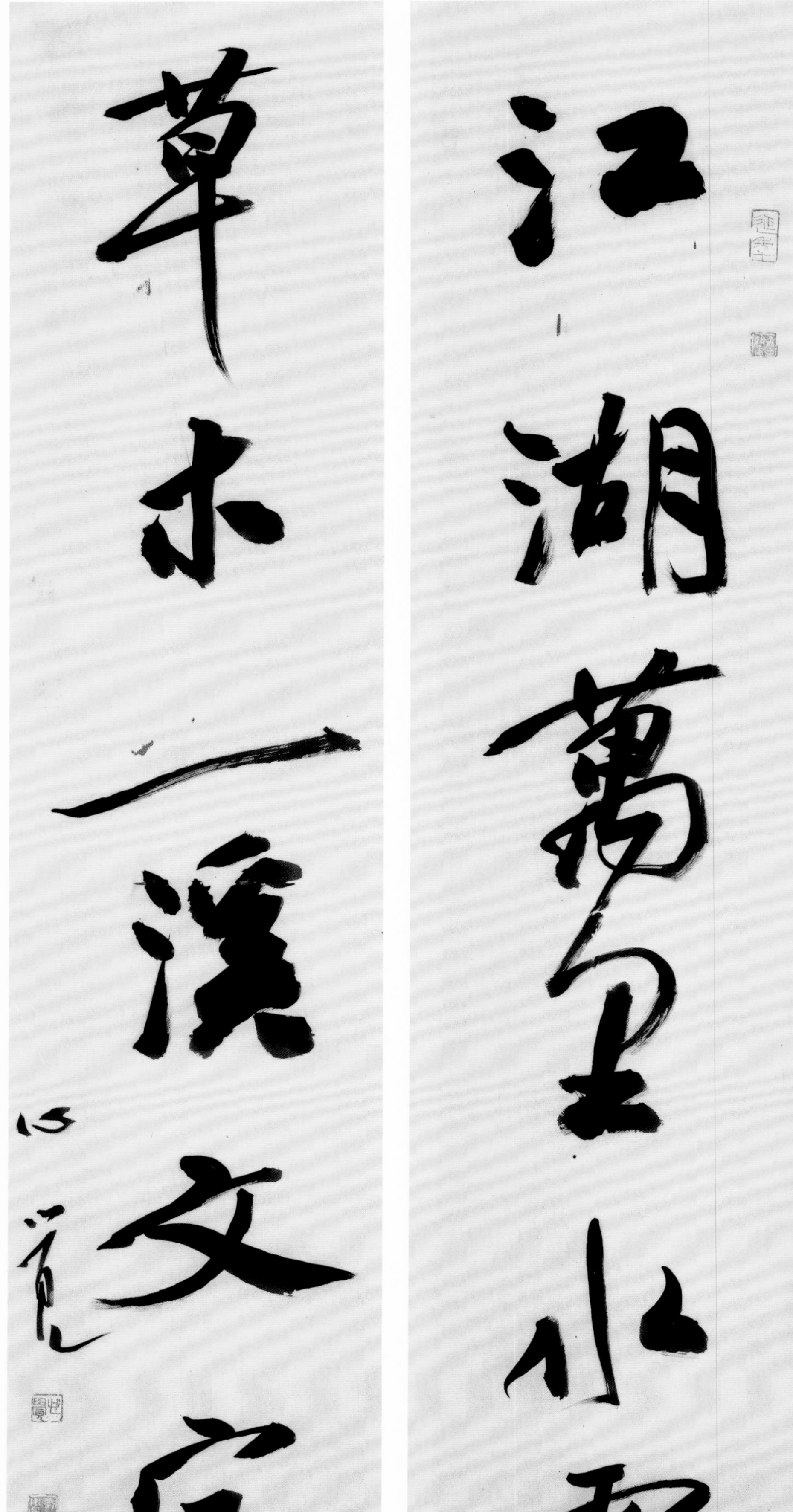
江湖萬里水雲闊
草木一溪文字香

刘红卫

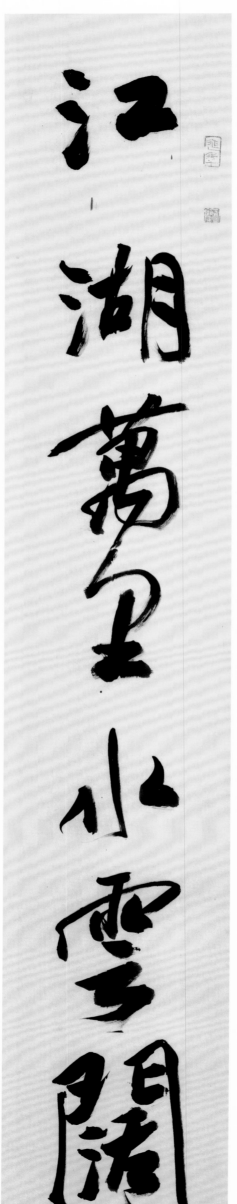

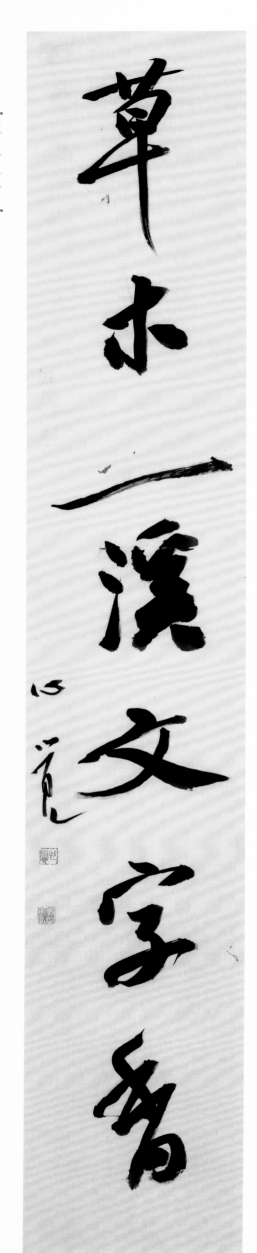

半壁東南三楚雄劉郎死去霸圖空尚餘遺業艱難甚誰與斯人慷慨同塞上秋風悲戰馬神州落日泣哀鴻幾時痛飲黃龍酒橫攬江流一奠公
錄孫中山先生詩 劉顏濤

刘颜涛

朱敏

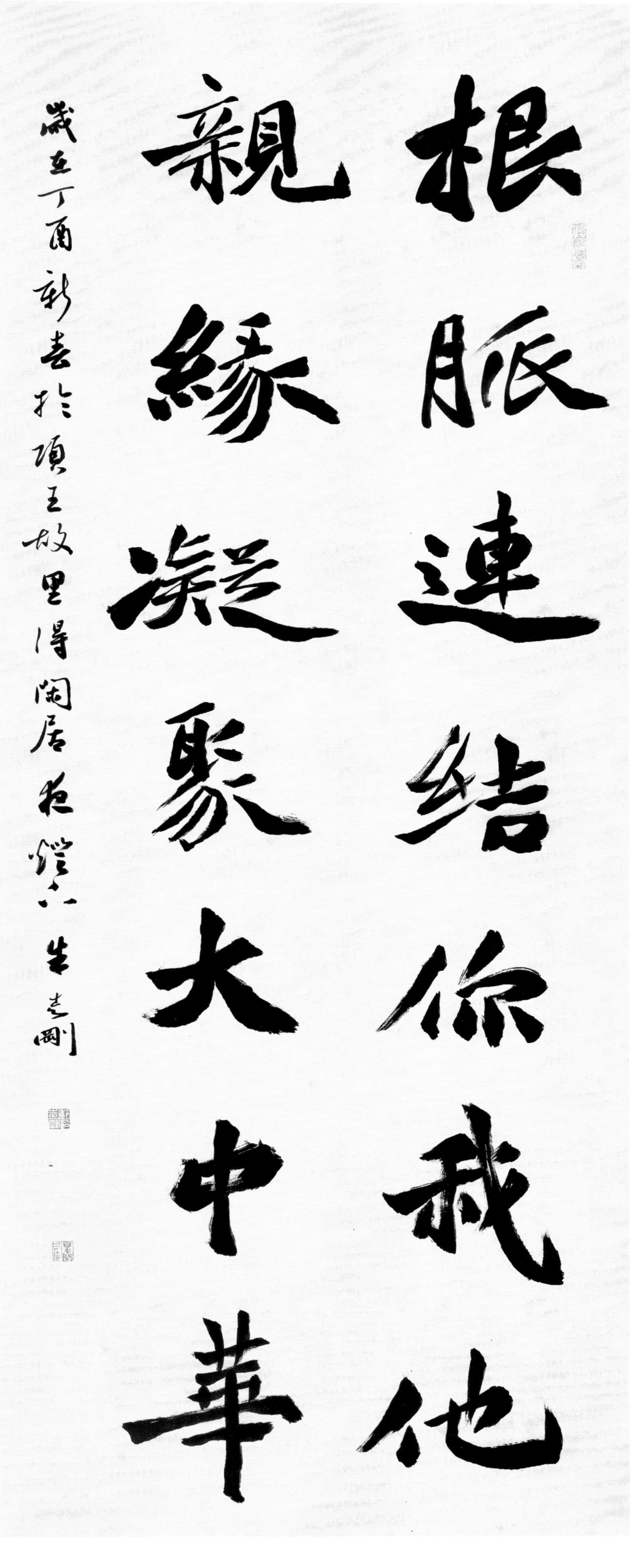
根脈連結你我他
親緣凝聚大中華
歲在丁酉新春於項王故里得閑居
朱志剛

朱志刚

李明

李啸

書學撮要
李贵阳自题

書家運筆之說，自有又簡括，亦有言運筆之精義，亦有引王右軍之筆壽，言書不在能行，筆鋒用意，是在不出筆之動作，何物也。它運畫，先言運畫，以此運筆之動，運一畫之力，乃將歸簡微，筆鋒居轍，注重在力於撮。運筆之要，其運筆如飛，運乎其精，此撮之法，倍括於動撮運筆如飛，運乎其精，此撮之法，撮庶滿厥坡之動，自然見書之畫沙之境，此吐叔，壁坦之動。或可書之方如作乃傷，乃此有之力，自定爲。歐陽之君公爲在坡先生，畫點撮一畫。此有之方如作乃傷，乃此有之力，自定爲。歐陽之君公爲在坡先生，畫點撮一畫。此運之畫畫沙不知此言極運筆之訣。

二二四嘉平李贵阳

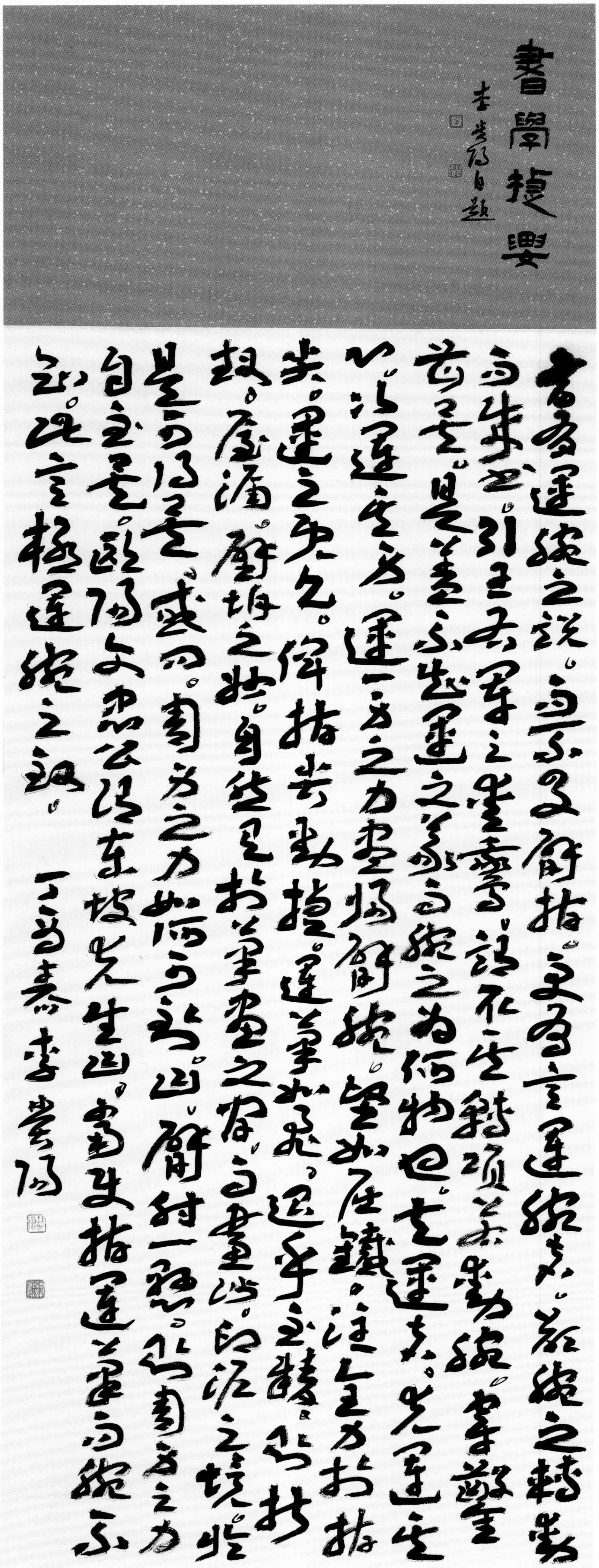

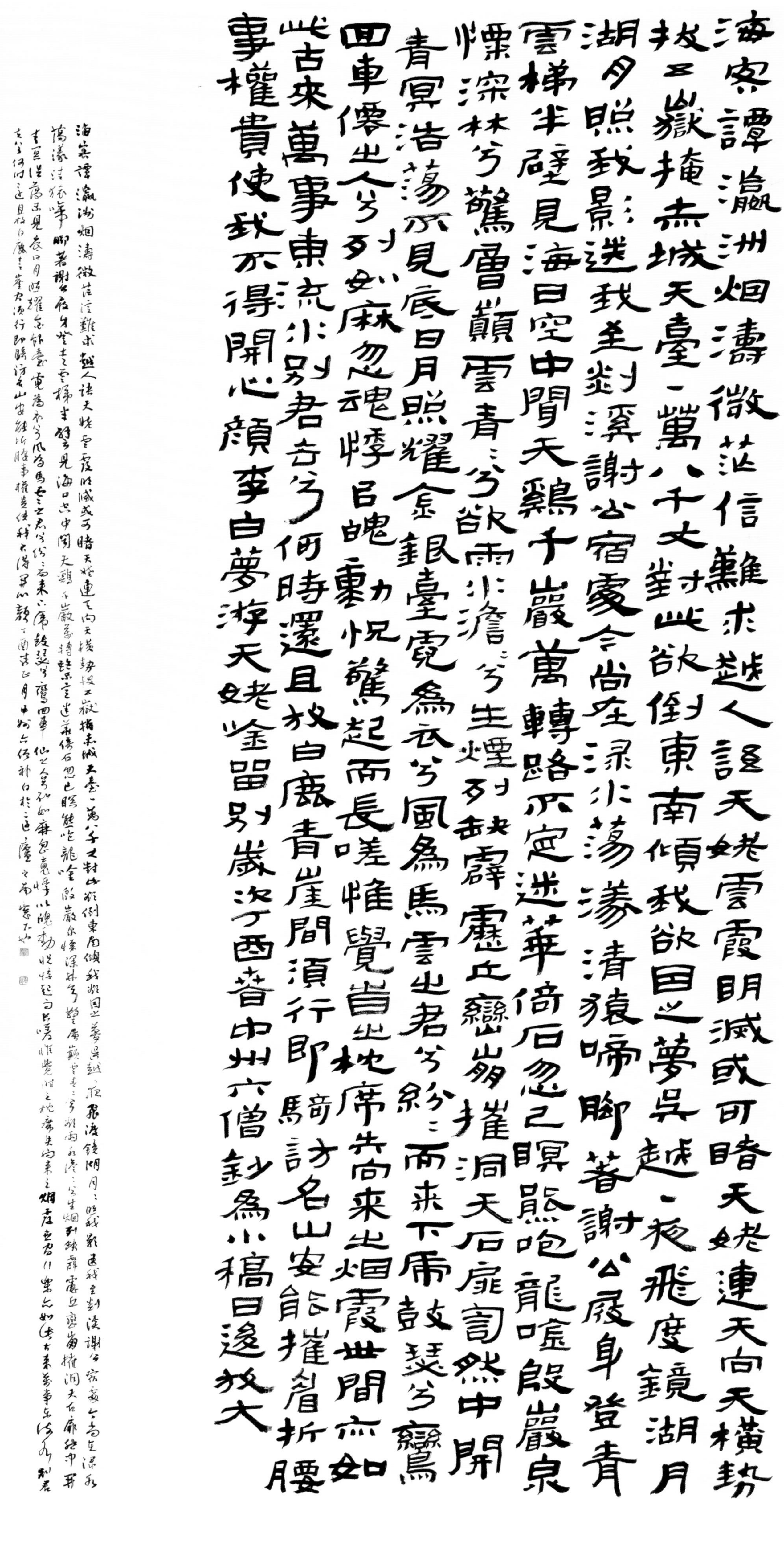
海客譚瀛洲烟濤微茫信難求越人語天姥雲霞明滅或可睹天姥連天向天橫勢
拔五嶽掩赤城天臺一萬八千丈對此欲倒東南傾我欲因之夢吳越一夜飛度鏡湖月
湖月照我影送我至剡溪謝公宿處今尚在渌水蕩漾清猿啼脚著謝公屐身登青
雲梯半壁見海日空中聞天鷄千巖萬轉路不定迷花倚石忽已暝熊咆龍吟殷巖泉
慄深林兮驚層巔雲青青兮欲雨水澹澹兮生烟列缺霹靂丘巒崩摧洞天石扉訇然中開
青冥浩蕩不見底日月照耀金銀臺霓為衣兮風為馬雲之君兮紛紛而來下虎鼓瑟兮鸞
回車僊之人兮列如麻忽魂悸以魄動怳驚起而長嗟惟覺時之枕席失向來之烟霞世間亦如
此古來萬事東流水別君去兮何時還且放白鹿青崖間須行即騎訪名山安能摧眉折腰
事權貴使我不得開心顏李白夢游天姥吟留別歲次丁酉春中州六僧鈔為小稿日逸放大

陈晓宇

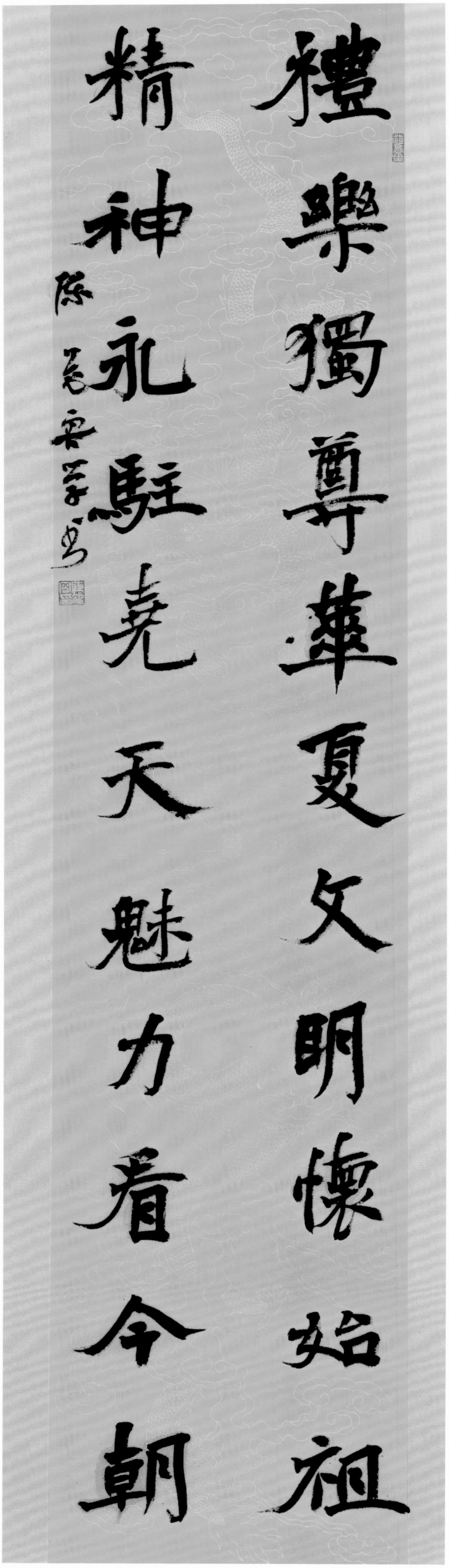
禮樂獨尊華夏文明懷始祖
精神永駐堯天魅力看今朝

陈花容

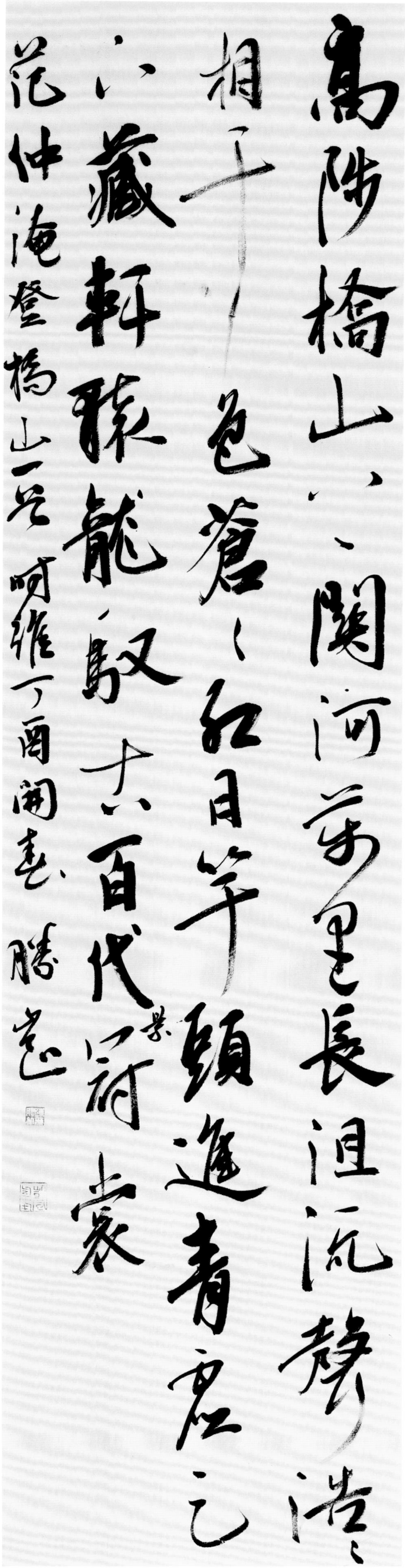

陈胜凯

杨雯

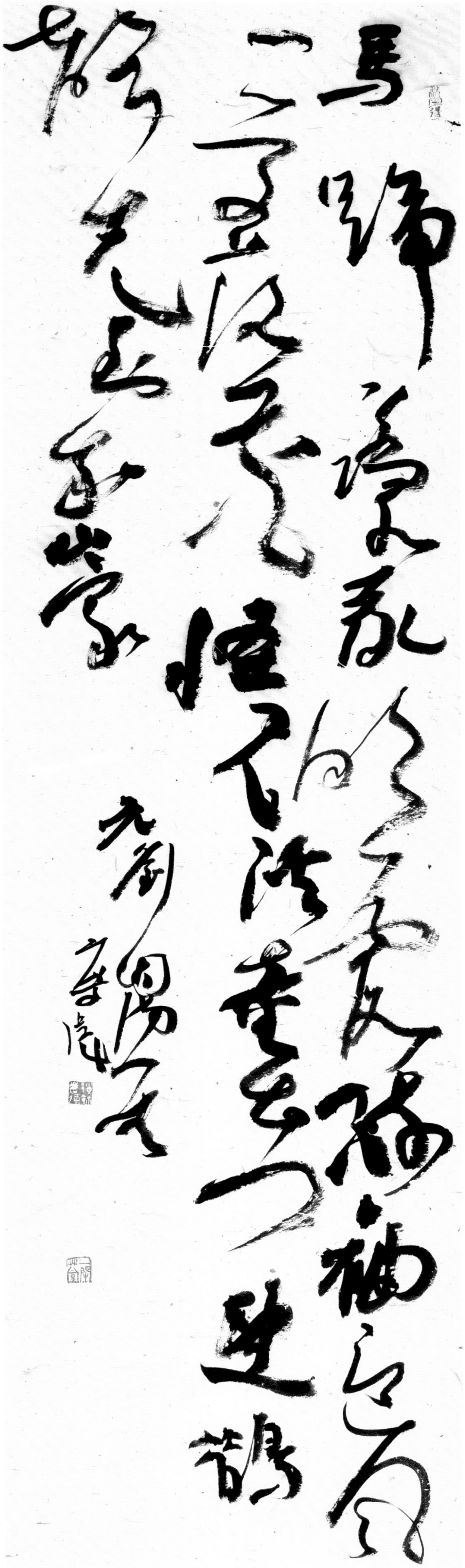

郑庆伟

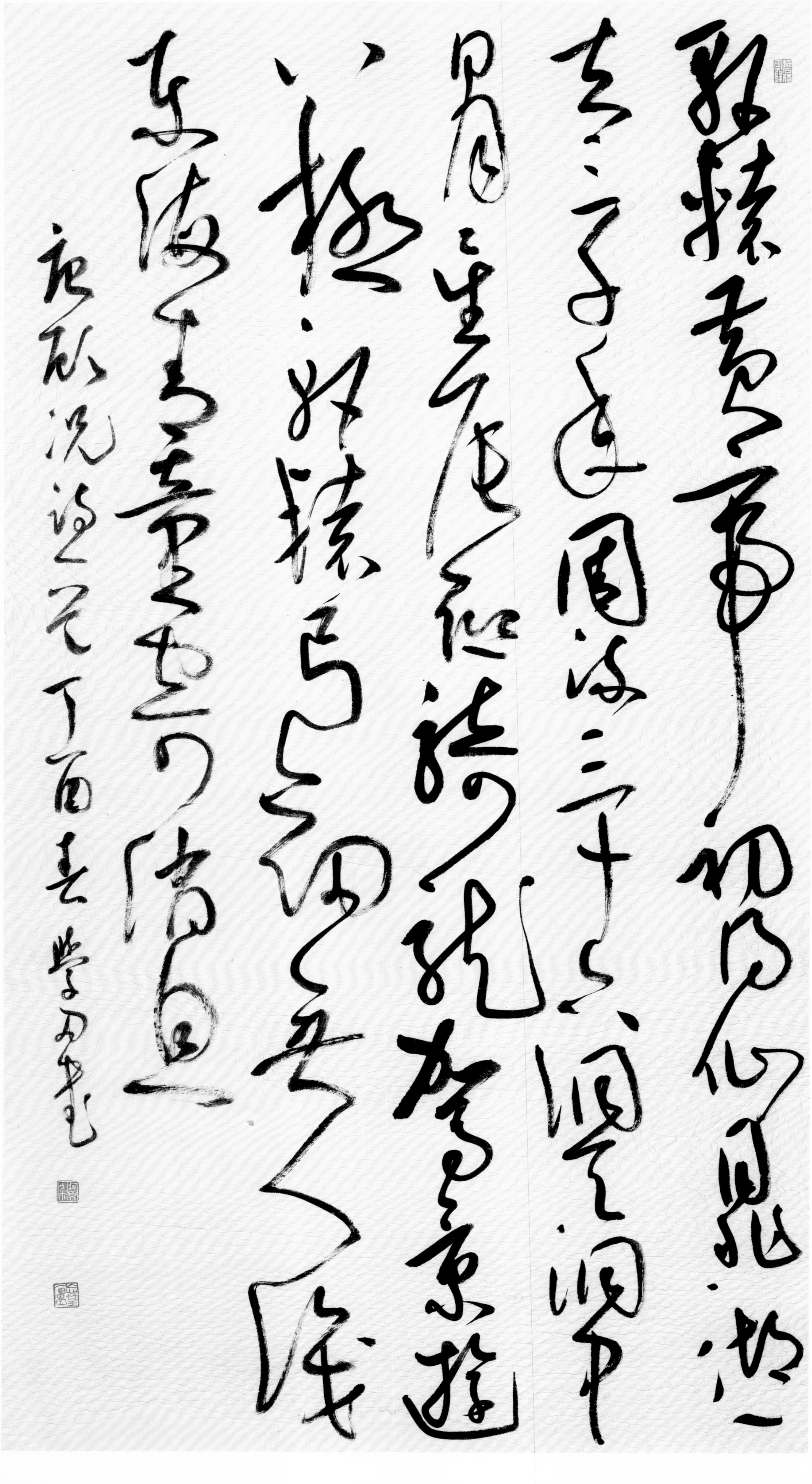

柯学刃

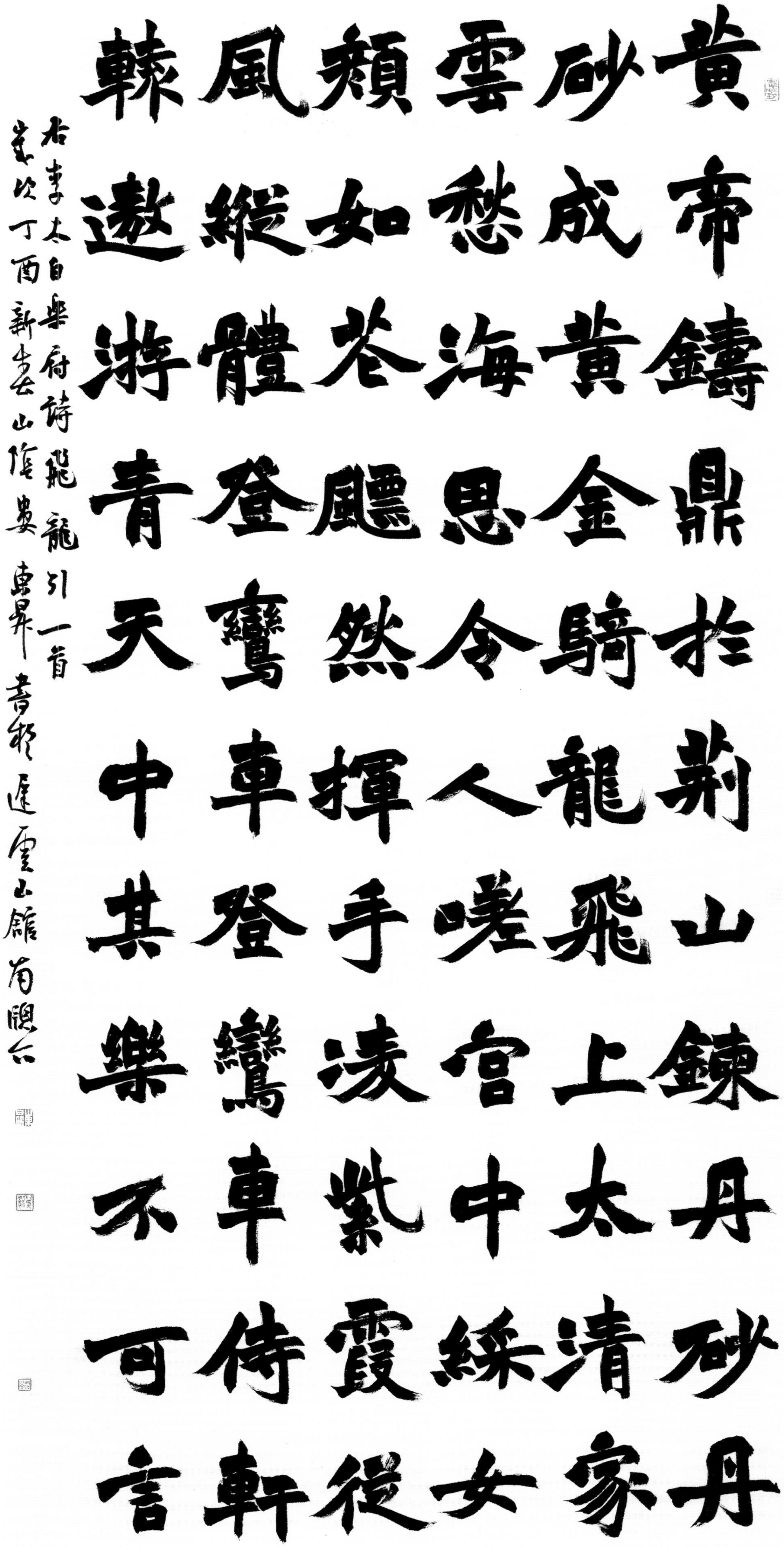
黃帝鑄鼎於荊山鍊丹砂丹
砂成黃金騎龍飛上太清家
雲愁海思令人嗟宮中綵女
顏如花飄然揮手淩紫霞從
風縱體登鸞車登鸞車侍軒
轅遨遊青天中其樂不可言
右李太白樂府詩飛龍引一首
歲次丁酉新秋雲山館婁東昇書於遲雲山館

娄东昇

张一冰

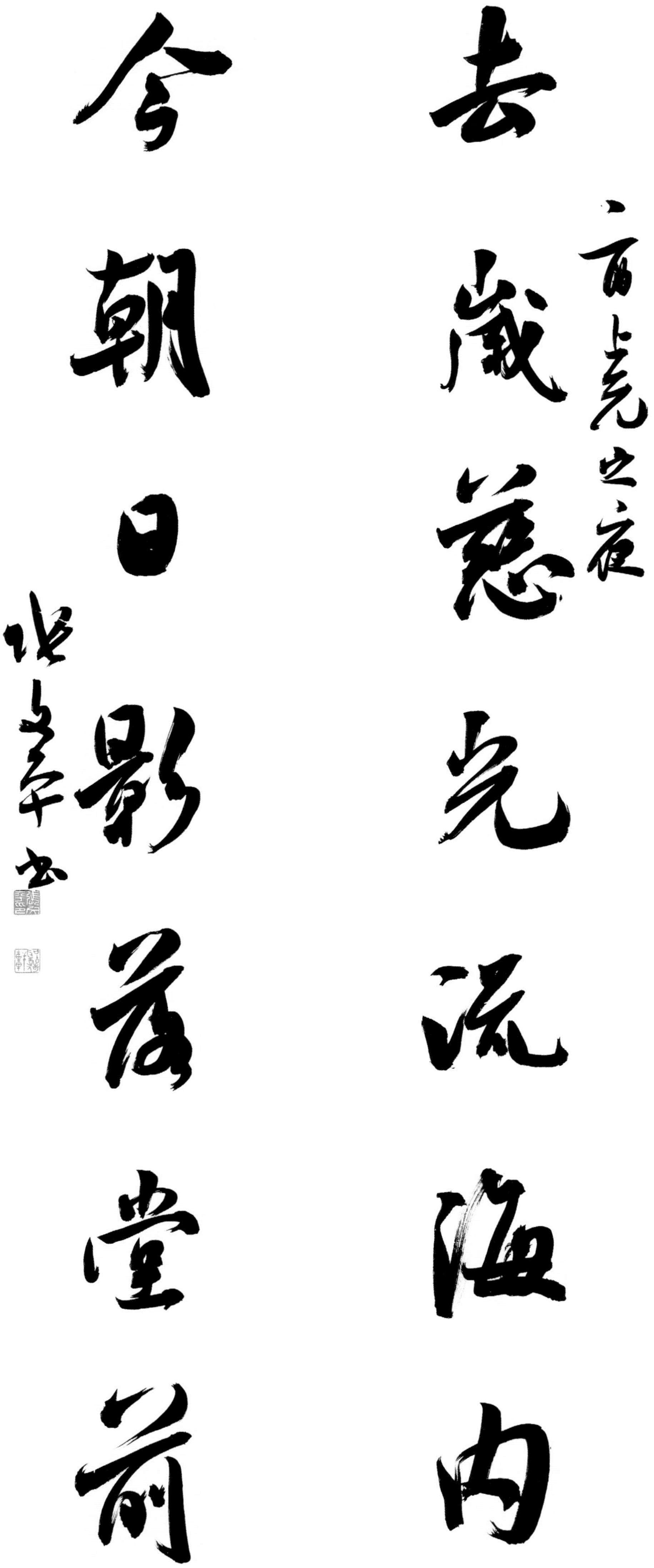
去岁慈光流海内
今朝日影落堂前
张文平书

张文平

张青山

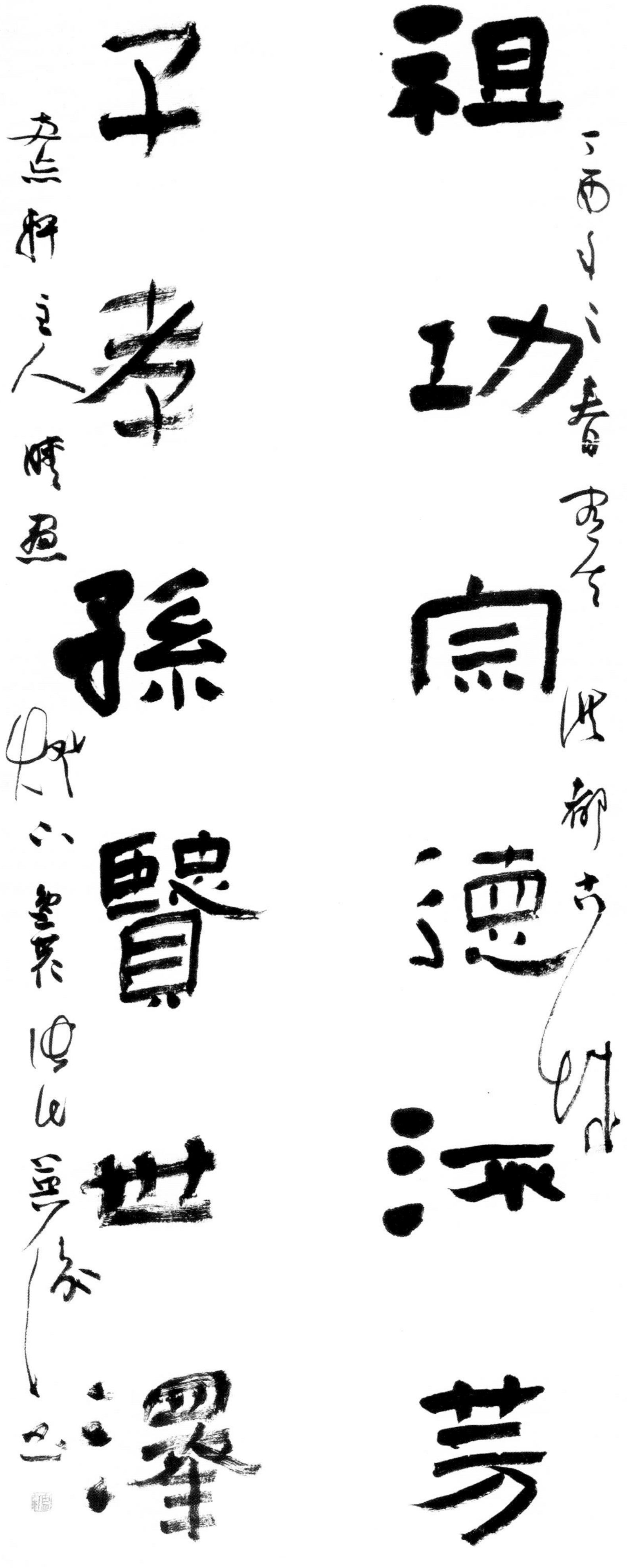

张英俊

徐强

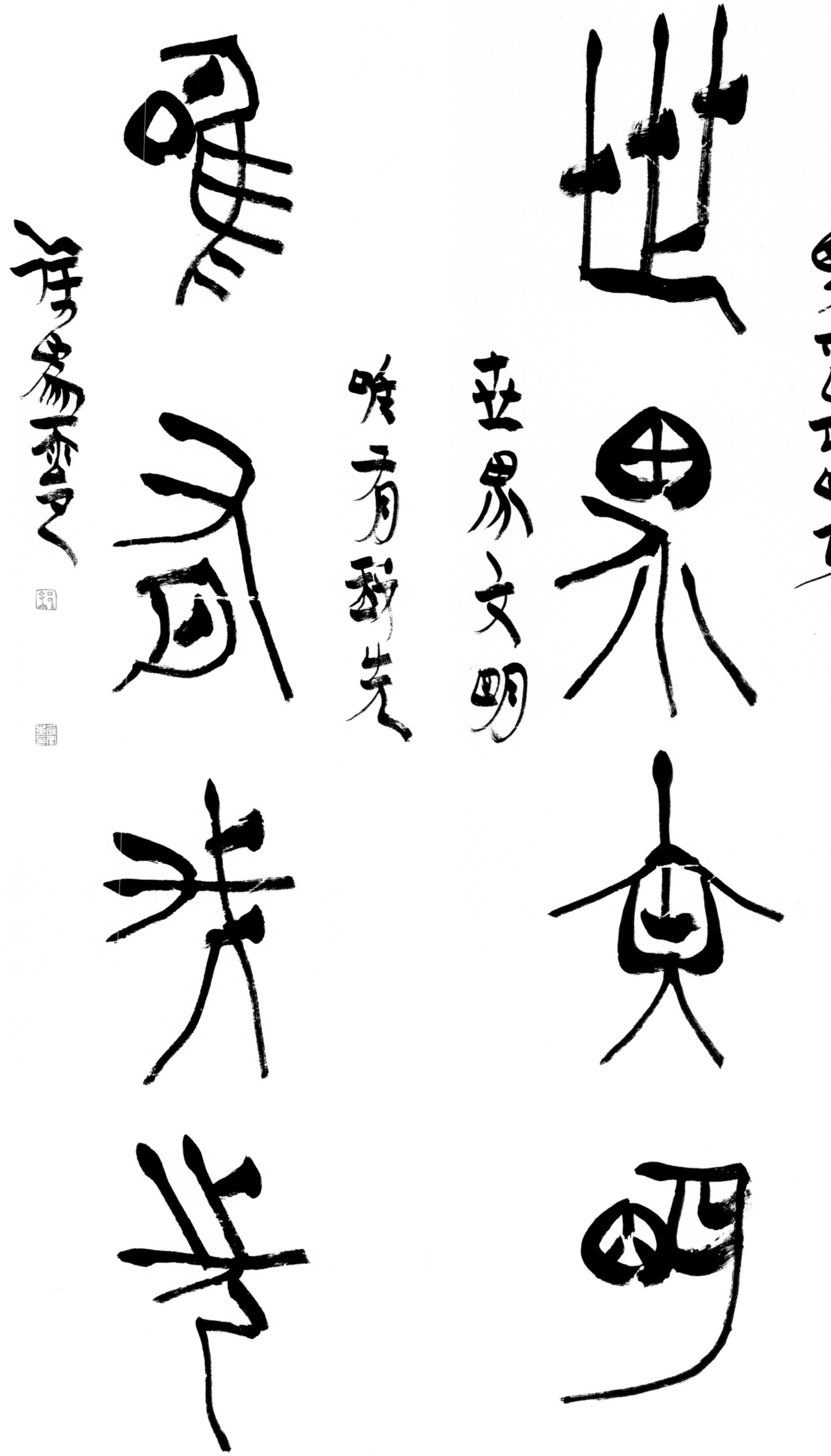

徐为零

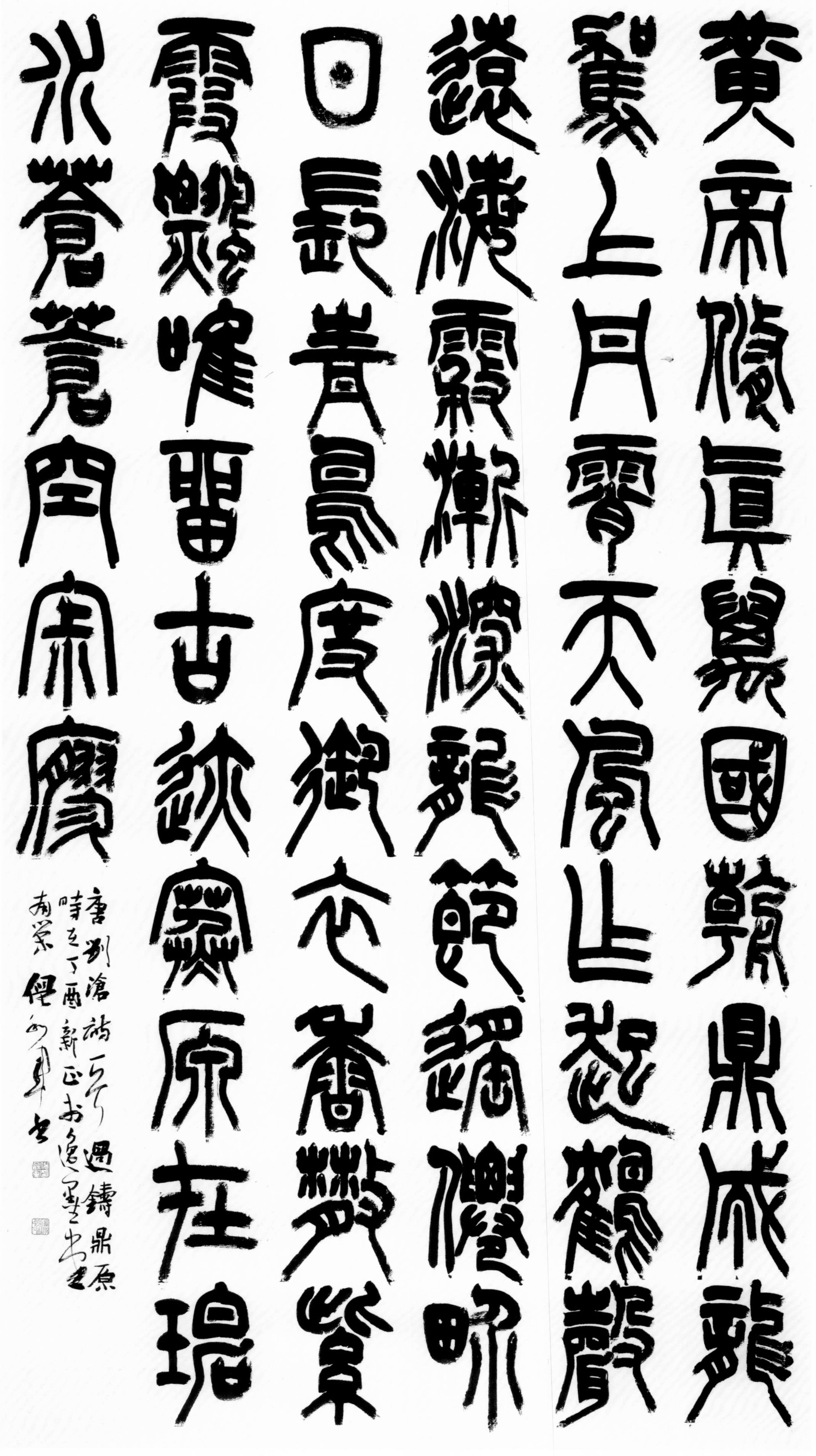

倪和军

顾翔

耿自礼

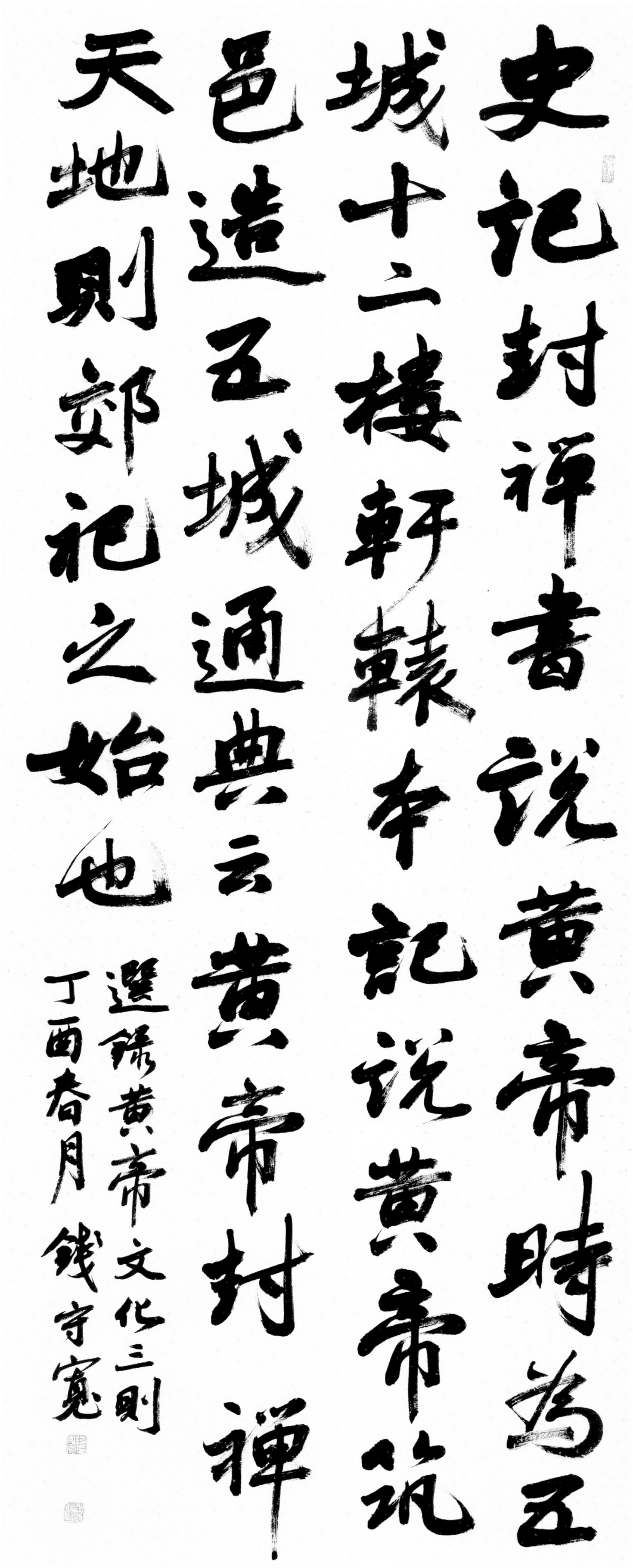
史記封禪書說黃帝時爲五
城十二樓軒轅本記說黃帝築
邑造五城通典云黃帝封禪
天地則郊祀之始也
選錄黃帝文化三則
丁酉春月 錢守寬

钱守宽

曹元伟

曹向春

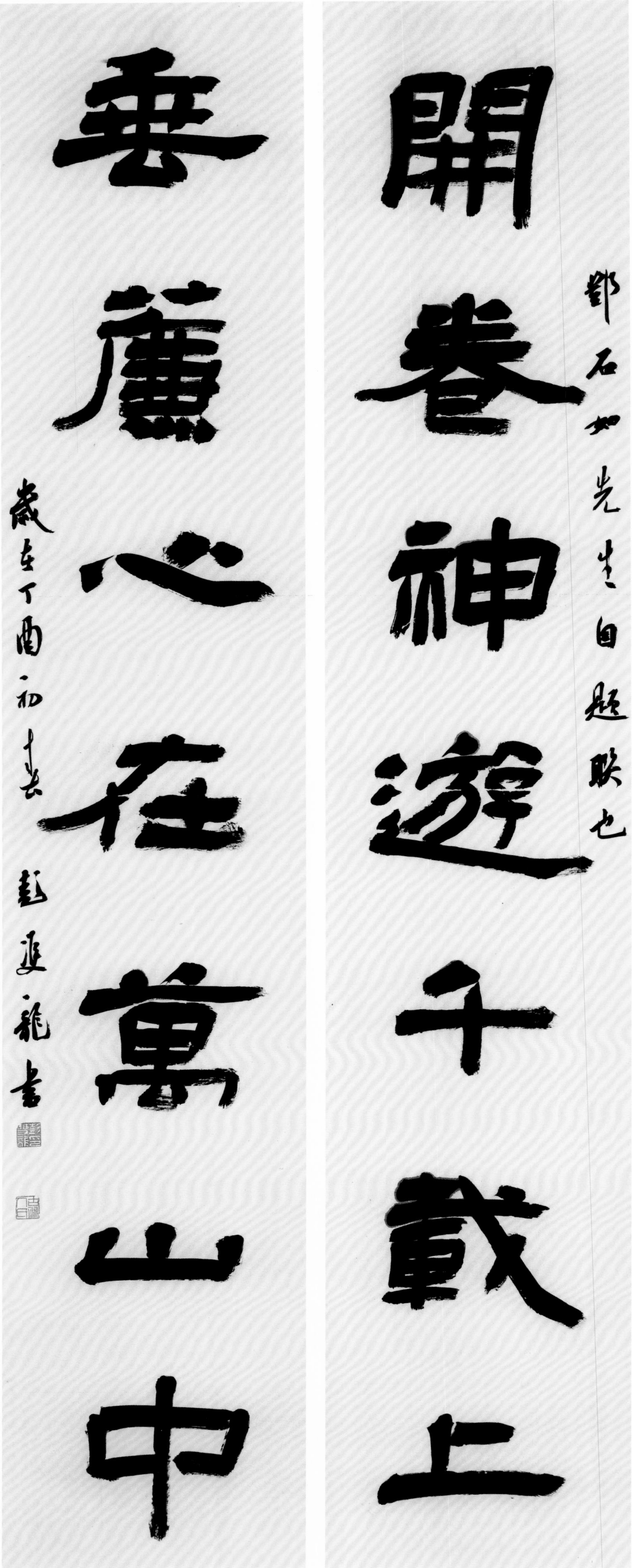
開卷神遊千載上
垂簾心在萬山中
鄧石如先生自題聯也
歲在丁酉初夏 彭雙龍書

彭双龙

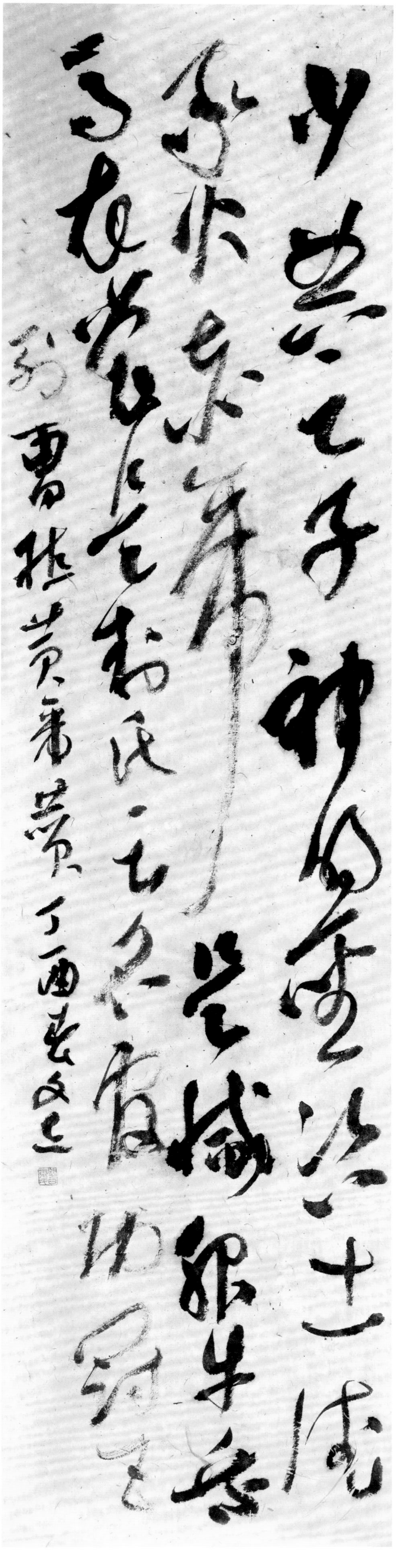

潘文志

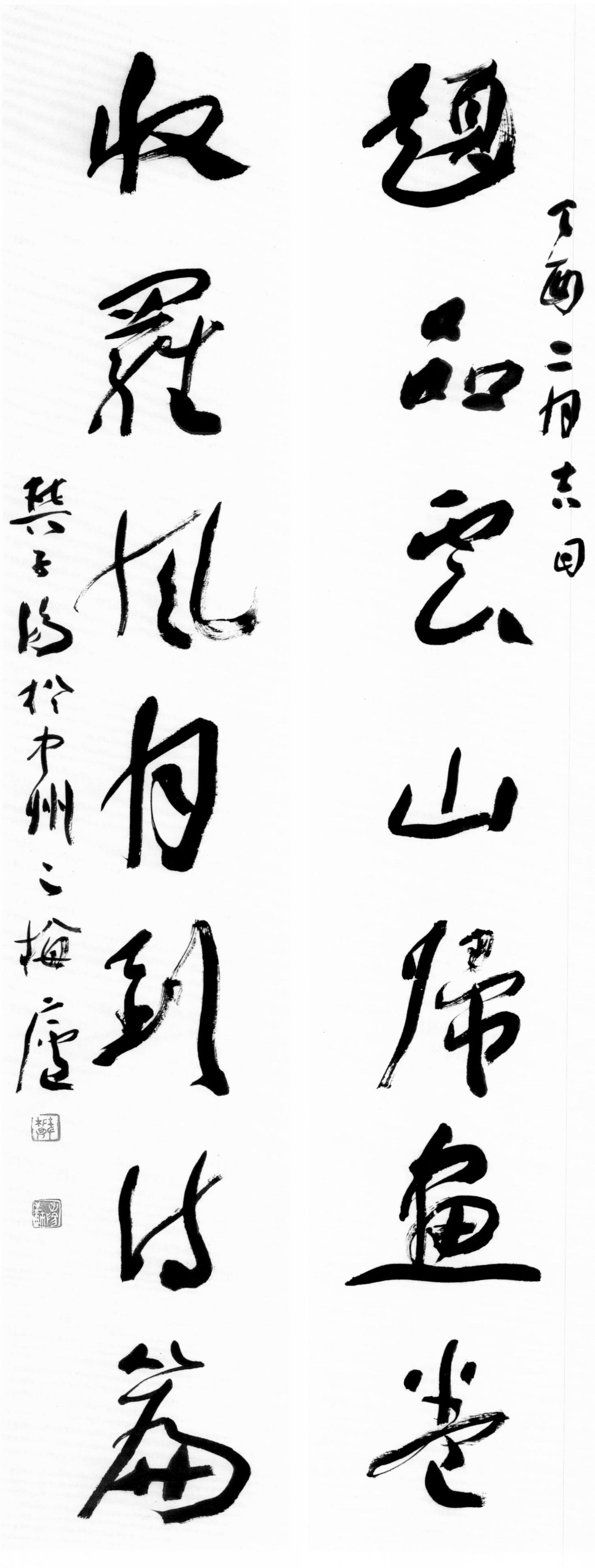

樊子阳

图书在版编目（CIP）数据

丁酉黄帝故里拜祖大典“一带一路星耀兰亭”书法精品邀请展作品集 / 钟海涛，王晨主编. -- 郑州 : 河南美术出版社，2017.3
ISBN 978-7-5401-3811-0

Ⅰ. ①丁… Ⅱ. ①钟… ②王… Ⅲ. ①汉字－法书－作品集－中国－现代 Ⅳ. ①J292.28

中国版本图书馆CIP数据核字（2017）第053336号

丁酉黄帝故里拜祖大典
“一带一路星耀兰亭”书法精品邀请展作品集

主　　编　钟海涛　王　晨
责任编辑　白立献
责任校对　敖敬华
整体设计　天外天艺术书籍
出版发行　河南美术出版社
地　　址　郑州市经五路66号
电　　话　（0371）65727637
制　　作　郑州天外天文化传播有限公司
印　　刷　河南匠心印刷有限公司
开　　本　1/8　787mm×1092mm
印　　张　19
印　　数　0001-2000册
版　　次　2017年3月第一版
印　　次　2017年3月第一次印刷
书　　号　ISBN 978-7-5401-3811-0
定　　价　380.00元